nine yellow suns

**neun gelbe Sonnen**

ten orange teddy-bears

**zehn orange Teddybären**

eleven pink flowers

**elf rosa Blumen**

twelve diamonds

**zwölf Rauten**

thirteen stars

**dreizehn Sterne**

fourteen squares

**vierzehn Quadrate**

fifteen circles

**fünfzehn Kreise**

sixteen triangles

**sechzehn Dreiecke**

seventeen ovals

**siebzehn Ovale**

eighteen cubes

**achtzehn Würfel**

nineteen cones

**neunzehn Kegel**

twenty crescents

**zwanzig Halbmonde**

one hundred balloons

**hundert Luftballons**

one thousand

**eintausend**

a million

**eine Million**

fifty cups

**fünfzig Tassen**

forty hats

**vierzig Hüte**

# FUN TO LEARN GERMAN

COMPILED BY JOHN GRISEWOOD
ILLUSTRATED BY KATY SLEIGHT

Kingfisher Books

# About your book

All the German words are printed in bold heavy type like this – **der Hund;** the English words are printed in ordinary type like this – dog. Notice too that all nouns in German start with a capital letter.
In German *all* nouns are either feminine, as **die Mutter** (the mother), masculine, as **der Vater** (the father), or neuter, as **das Mädchen** (the girl). So **die** shows that the word is feminine, **der** that the word is masculine and **das** that the word is neuter. In the plural **die** is used for masculine, feminine and neuter – **der Vogel** (the bird), **die Vögel** (the birds). In the same way **ein** ('a' or 'an') goes before masculine and neuter nouns (**ein Vater, ein Mädchen**) and **eine** goes before feminine nouns (**eine Mutter**).

When learning German words by heart it is important to memorize them with the **der, das** or **die** that goes before. It will make learning the language much easier.

### How to say the words

We have deliberately not shown how the words are pronounced. There are sounds in German which are quite unlike any we make in English. So it is far better that you should ask a teacher or someone who can speak the language how to pronounce the words correctly. Best of all ask a German person.

### When to use *du*

**Du** is used in German when talking to a close friend or a relation. The polite form of 'you' is **Sie** (with a capital letter).

The symbol *ß* is frequently used in German. It represents double 's' and is pronounced like 'ss'.

The publishers would like to thank Universal Translators of London for their help in checking the translation of this book.

Kingfisher Books, Grisewood & Dempsey Ltd,
Elsley House, 24–30 Great Titchfield Street,
London W1P 7AD

First published in 1991 by Kingfisher Books
10 9 8 7 6 5 4 3 2


BRITISH LIBRARY CATALOGUING IN PUBLICATION DATA
Grisewood, John
Fun to learn German: first words & phrases.
I. Title II. Sleight, Katy
438

ISBN 0-86272-734-0

Translators: Constance Novis & Mike Halson
Cover design: The Pinpoint Design Company
Illustrations: Katy Sleight

Phototypeset by Wyvern Typesetting, Bristol.
Printed in Spain

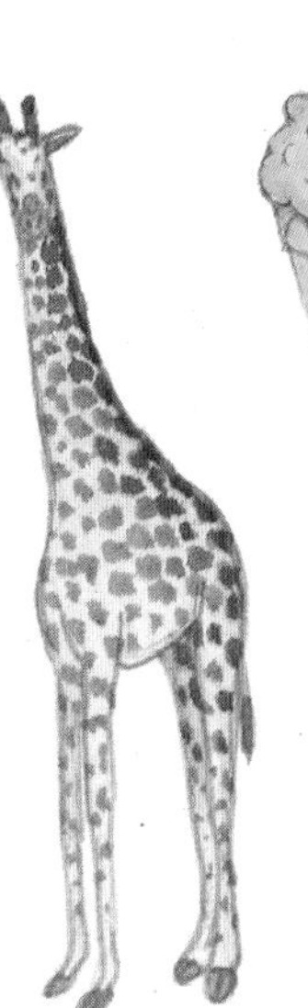

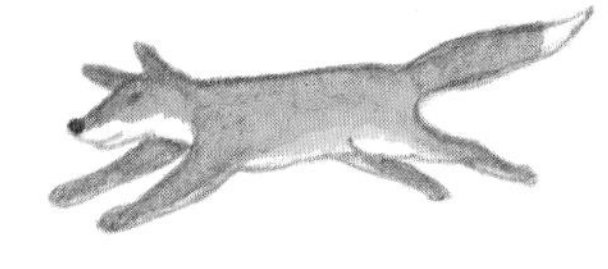

# Contents — Inhalt

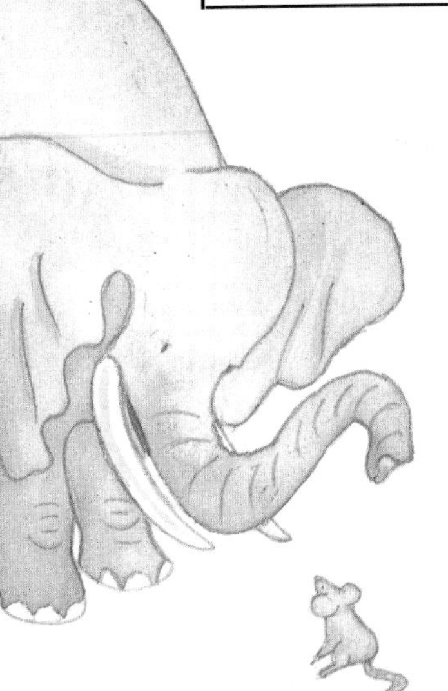

shoulder
die Schulter
toe
die Zehe
teeth
die Zähne
neck
der Hals
The body
Der Körper
chest
die Brust
chin
das Kinn
finger
der Finger
arm
der Arm
ear
das Ohr
face
das Gesicht
hand
die Hand
knee
das Knie
leg
das Bein
hair
das Haar
eight
acht
8

ankle
der Knöchel
thumb
der Daumen
nose
die Nase
eye
das Auge
mouth
der Mund
stomach
der Bauch
bottom
das Gesäß
elbow
der Ellbogen
head
der Kopf
back
der Rücken
tongue
die Zunge
beard
der Bart
whistle
die Pfeife
foot
der Fuß
cheek
die Wange
nine
neun

The house
Das Haus
swing
die Schaukel
rug
der Teppich
bed
das Bett
fork
die Heugabel
spade
der Spaten
bath
die Badewanne
shower
die Dusche
window
das Fenster
clock
die Uhr
chimney
der Schornstein
tree
der Baum
roof
das Dach
trunk
der Baumstamm
bathroom
das Badezimmer
kitchen
die Küche
path
der Pfad
floor
der Fußboden
garden
der Garten
flowerbed
das Blumenbeet
greenhouse
das Gewächshaus
lawn
der Rasen
ten
zehn
10
table
der Tisch
chair
der Stuhl
cooker
der Herd
television
der Fernsehapparat

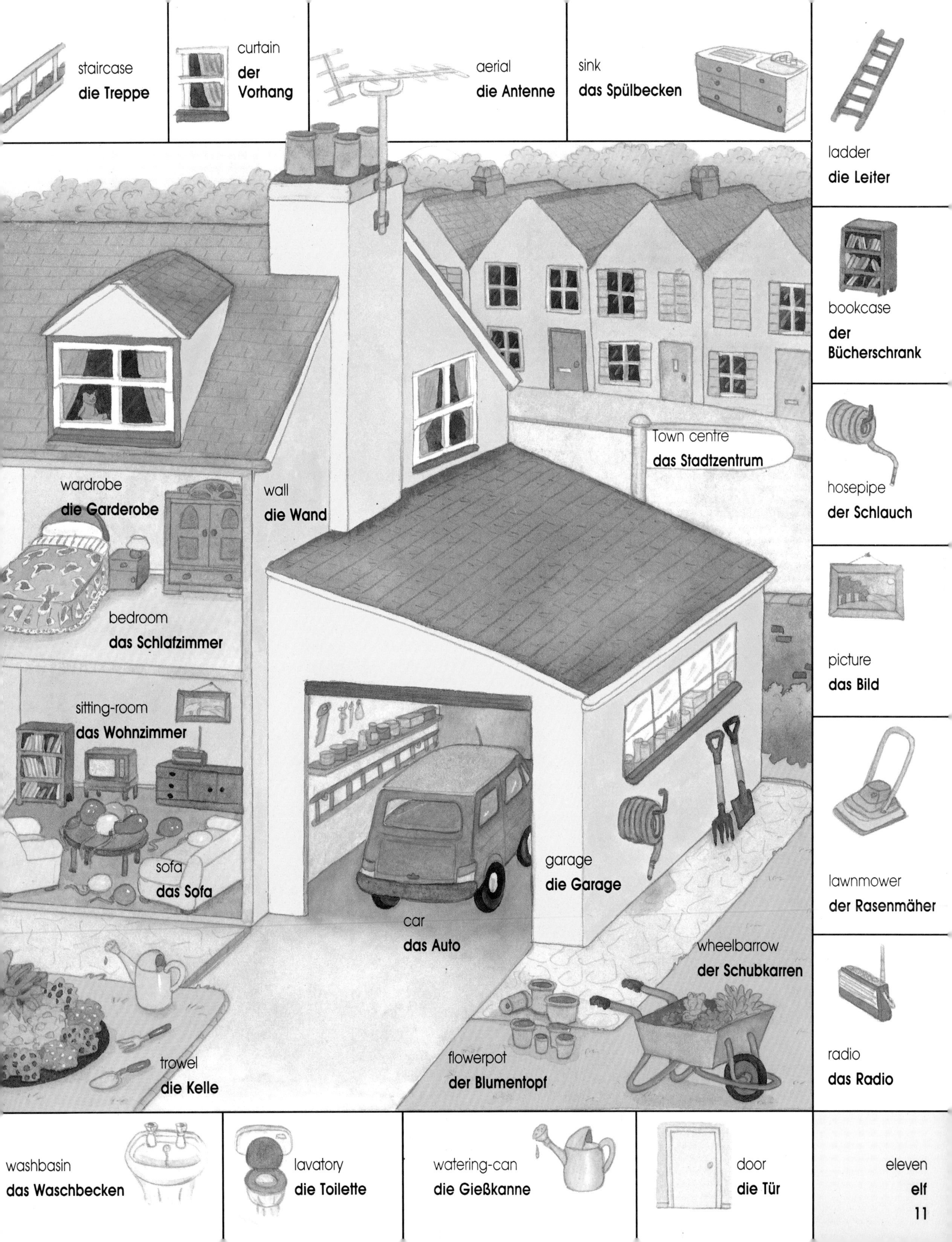
staircase
die Treppe
curtain
der Vorhang
aerial
die Antenne
sink
das Spülbecken
ladder
die Leiter
bookcase
der Bücherschrank
hosepipe
der Schlauch
picture
das Bild
lawnmower
der Rasenmäher
radio
das Radio
Town centre
das Stadtzentrum
wardrobe
die Garderobe
wall
die Wand
bedroom
das Schlafzimmer
sitting-room
das Wohnzimmer
sofa
das Sofa
garage
die Garage
car
das Auto
wheelbarrow
der Schubkarren
flowerpot
der Blumentopf
trowel
die Kelle
washbasin
das Waschbecken
lavatory
die Toilette
watering-can
die Gießkanne
door
die Tür
eleven
elf

belt
der Gürtel
hairbrush
die Haarbürste
socks
die Socken
tights
die Strumpfhose
handkerchief
das Taschentuch
What shall we wear?
Was wollen wir tragen?
picture
das Bild
bed
das Bett
comb
der Kamm
mirror
der Spiegel
pyjamas
der Schlafanzug
umbrella
der Regenschirm
scarf
der Schal
slipper
der Pantoffel
jumper/sweater/pullover
der Pullover
skirt
der Rock
dressing gown
der Morgenrock
dress
das Kleid
shoe
der Schuh
underpants
die Unterhose
nightdress
das Nachthemd
vest
das Unterhemd
trousers
die Hose
swimsuit
der Badeanzug
twelve
zwölf
12

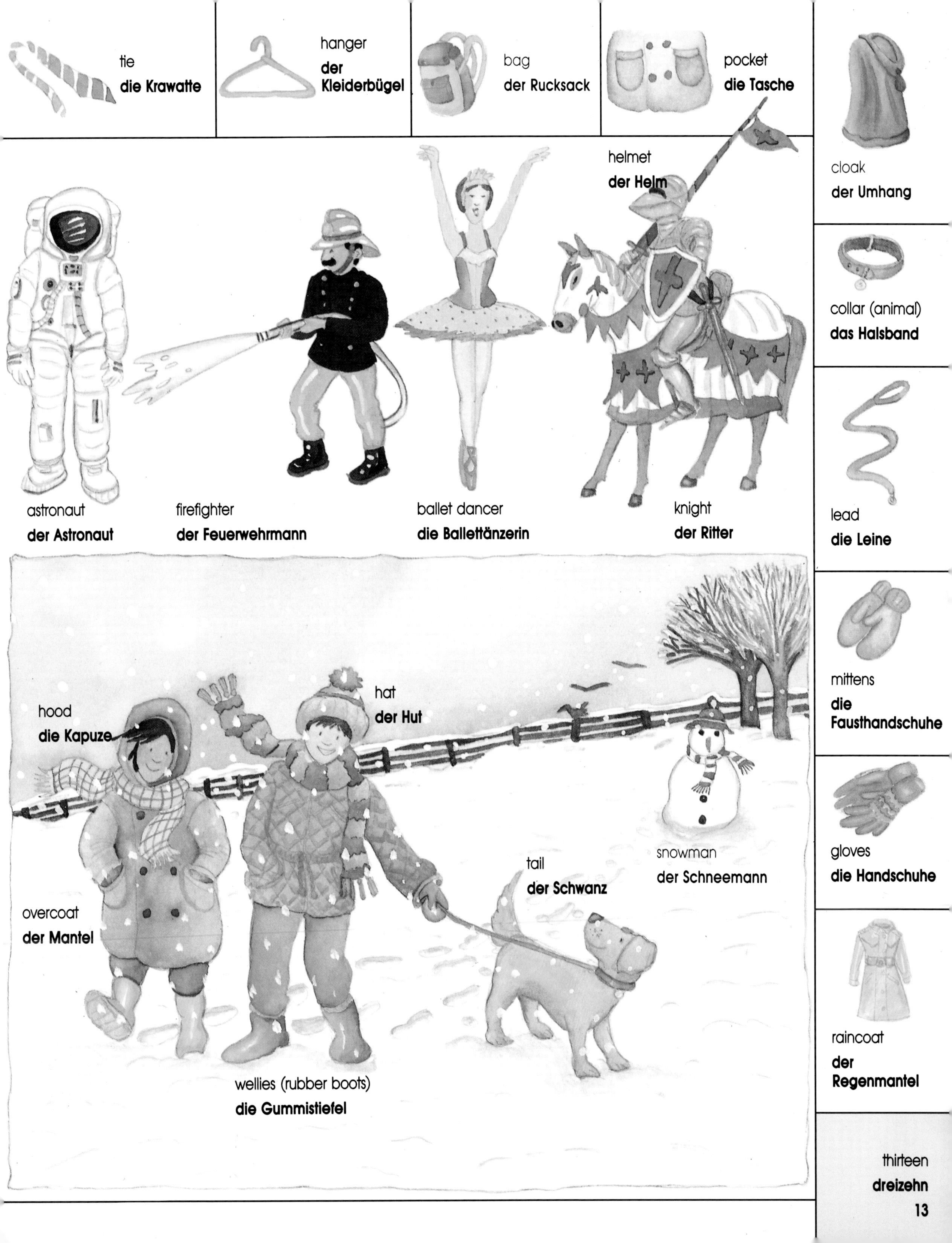
tie
die Krawatte
hanger
der Kleiderbügel
bag
der Rucksack
pocket
die Tasche
cloak
der Umhang
helmet
der Helm
collar (animal)
das Halsband
astronaut
der Astronaut
firefighter
der Feuerwehrmann
ballet dancer
die Ballettänzerin
knight
der Ritter
lead
die Leine
mittens
die Fausthandschuhe
hood
die Kapuze
hat
der Hut
gloves
die Handschuhe
tail
der Schwanz
snowman
der Schneemann
overcoat
der Mantel
raincoat
der Regenmantel
wellies (rubber boots)
die Gummistiefel

balloon
der Luftballon
plate
der Teller
cracker
das Knallbonbon
cat
die Katze
cowgirl
das Cowgirl
A party
Eine Party
plant
die Pflanze
present
das Geschenk
door
die Tür
card
die Karte
armchair
der Sessel
paper hat
der Papierhut
record
die Schallplatte
food
das Essen
piano
das Klavier
sandwich
das Sandwich
drinking straw
der Strohhalm
music
die Musik
bow tie
die Fliege

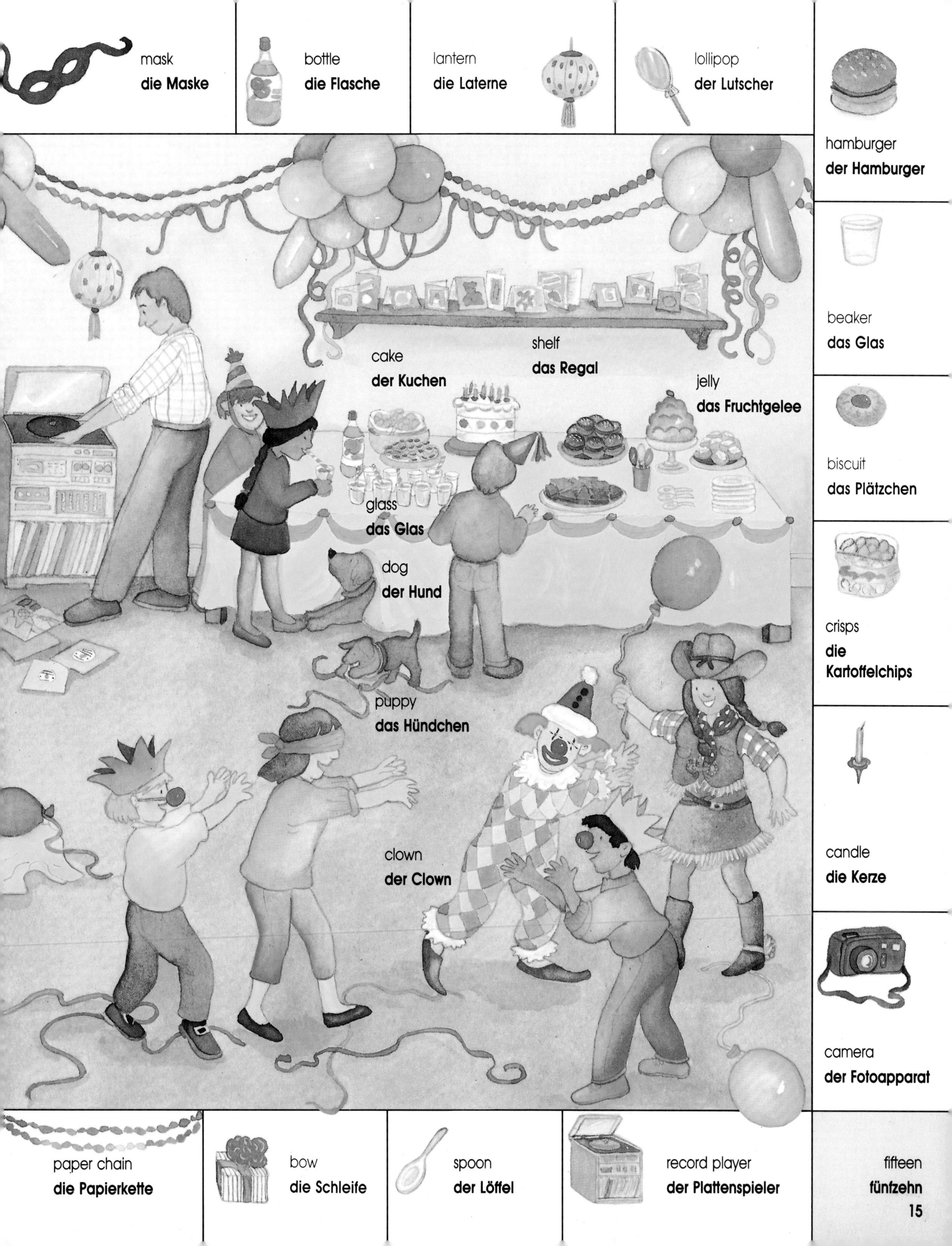
mask
die Maske
bottle
die Flasche
lantern
die Laterne
lollipop
der Lutscher
hamburger
der Hamburger
beaker
das Glas
biscuit
das Plätzchen
crisps
die Kartoffelchips
candle
die Kerze
camera
der Fotoapparat
cake
der Kuchen
shelf
das Regal
jelly
das Fruchtgelee
glass
das Glas
dog
der Hund
puppy
das Hündchen
clown
der Clown
paper chain
die Papierkette
bow
die Schleife
spoon
der Löffel
record player
der Plattenspieler
fifteen
fünfzehn

torch
die Taschenlampe
dominoes
das Dominospiel
bunk
das Etagenbett
puppet
die Marionette
Playtime
Die Freizeit
shelves
das Regal
painting
das Gemälde
book
das Buch
scarf
der Schal
toy box
die Spielzeugkiste
kite
der Drachen
soldier
der Soldat
tricycle
das Dreirad
sailor
der Seemann
boy
der Junge
rug
der Läufer
satchel
der Schulranzen
Noah's Ark
die Arche Noah
spinning top
der Kreisel
paint
die Farbe

railway line
das Bahngleis
locomotive
die Lokomotive
aeroplane
das Flugzeug
toy building blocks
die Bauklötze
doll's house
das Puppenhaus
ladder
die Leiter
teddy bear
der Teddybär
mobile
das Mobile
duvet
das Federbett
girl
das Mädchen
bridge
die Brücke
easel
die Staffelei
skipping rope
das Sprungseil
football
der Fußball
roller skates
die Rollschuhe
jigsaw puzzle
das Puzzle

dolphin
der Delphin
penguin
der Pinguin
butterfly
der Schmetterling
tiger
der Tiger
Noah's Ark
Die Arche Noah
two eagles
zwei Adler
fish
der Fisch
two elephants
zwei Elefanten
monkey
der Affe
spider
die Spinne
parrot
der Papagei
two camels
zwei Dromedare
wolf
der Wolf
porcupine
das Stachelschwein
leopard
der Leopard

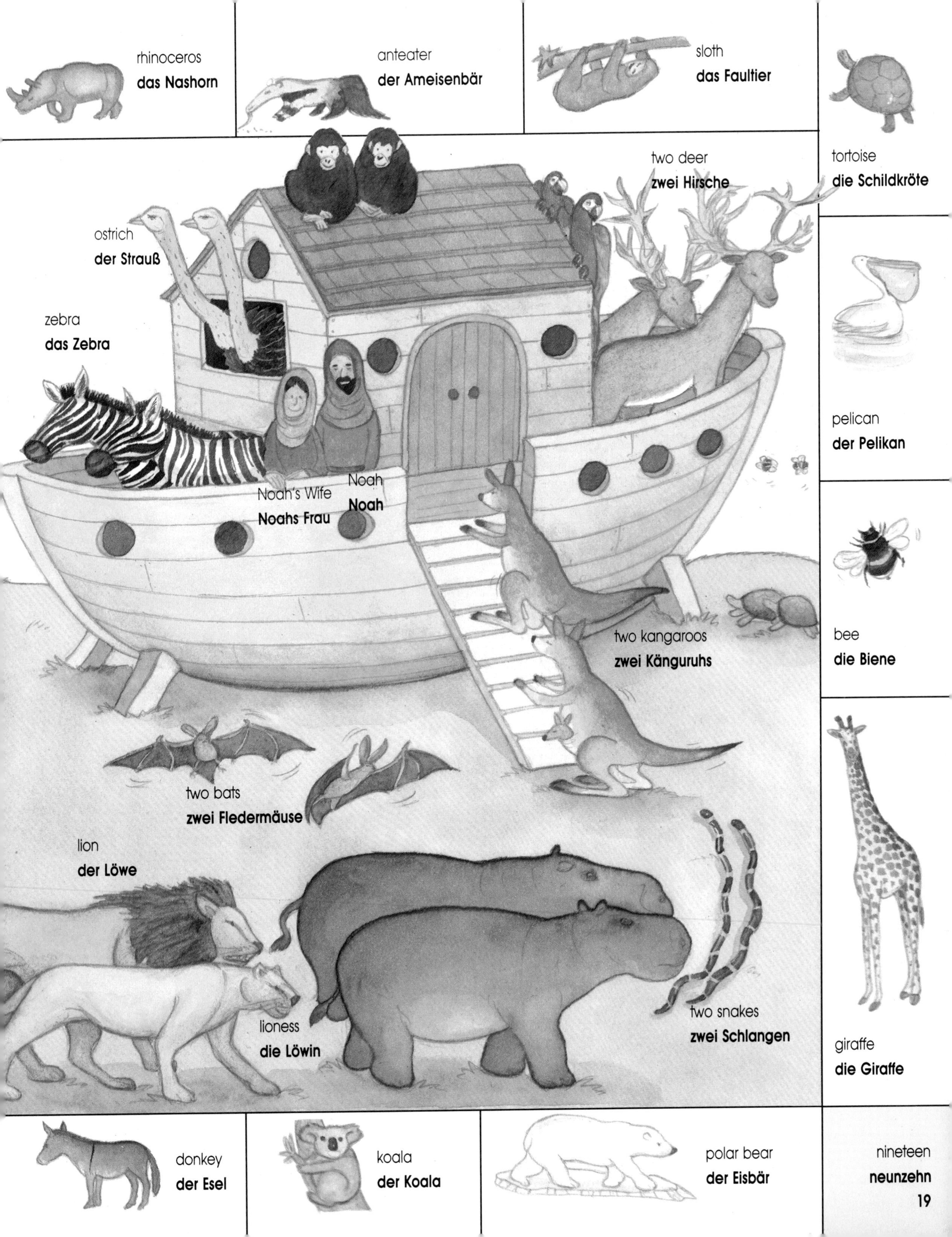
rhinoceros
das Nashorn
anteater
der Ameisenbär
sloth
das Faultier
tortoise
die Schildkröte
two deer
zwei Hirsche
ostrich
der Strauß
zebra
das Zebra
pelican
der Pelikan
Noah's Wife
Noahs Frau
Noah
Noah
bee
die Biene
two kangaroos
zwei Känguruhs
two bats
zwei Fledermäuse
lion
der Löwe
lioness
die Löwin
two snakes
zwei Schlangen
giraffe
die Giraffe
donkey
der Esel
koala
der Koala
polar bear
der Eisbär

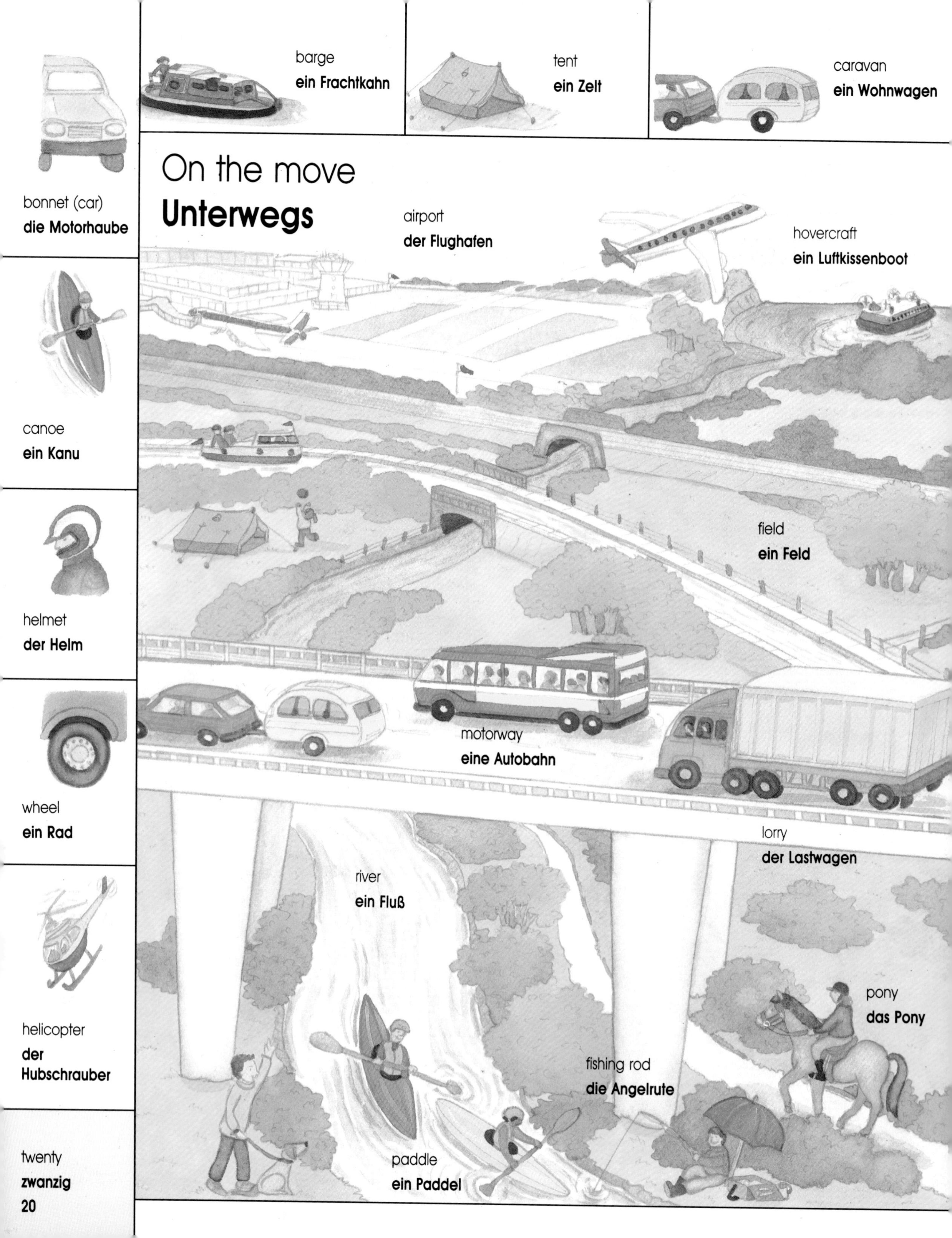
barge
ein Frachtkahn
tent
ein Zelt
caravan
ein Wohnwagen
bonnet (car)
die Motorhaube
On the move
Unterwegs
airport
der Flughafen
hovercraft
ein Luftkissenboot
canoe
ein Kanu
helmet
der Helm
field
ein Feld
wheel
ein Rad
motorway
eine Autobahn
lorry
der Lastwagen
river
ein Fluß
helicopter
der Hubschrauber
pony
das Pony
fishing rod
die Angelrute
paddle
ein Paddel
twenty
zwanzig
20

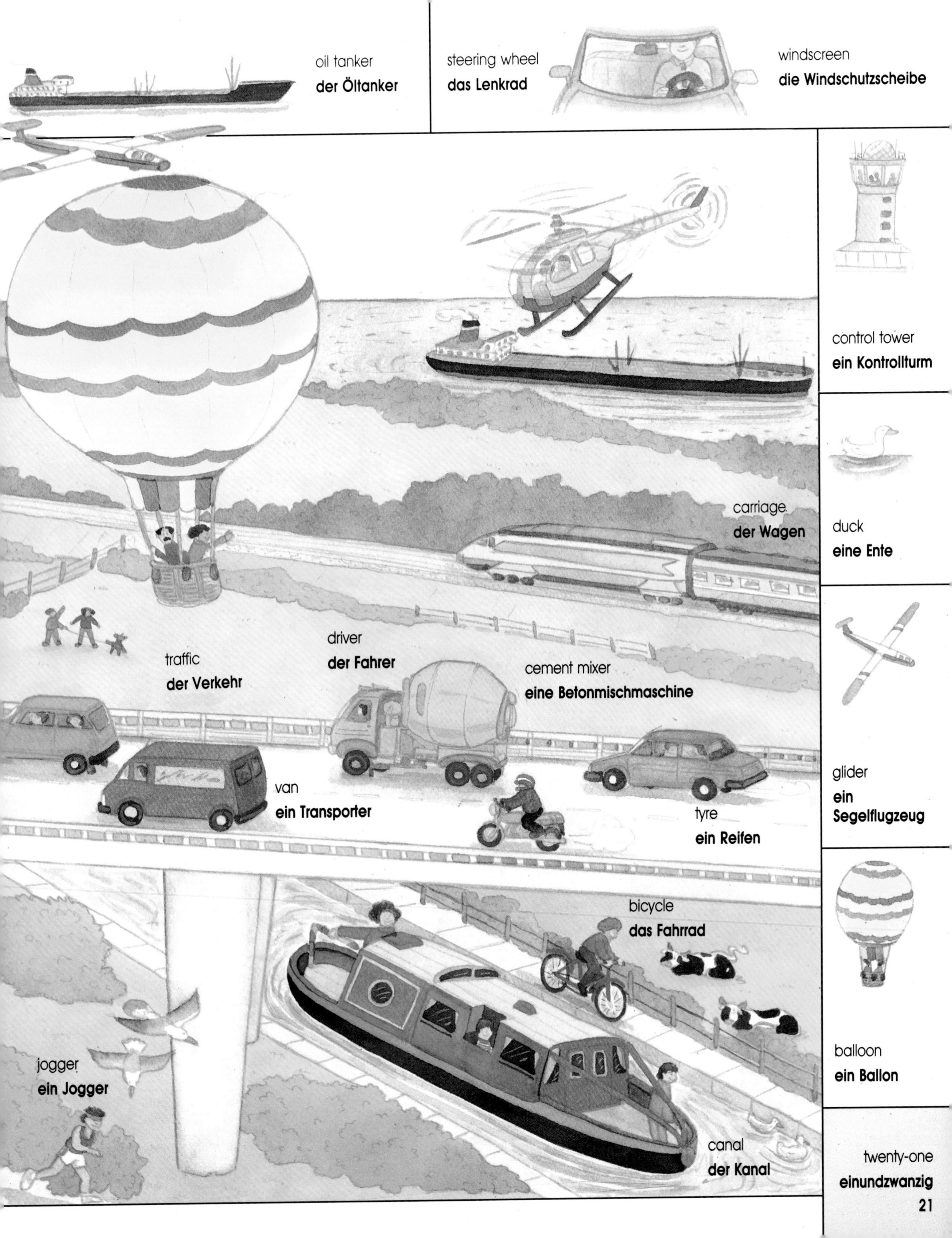
oil tanker
der Öltanker
steering wheel
das Lenkrad
windscreen
die Windschutzscheibe
control tower
ein Kontrollturm
duck
eine Ente
glider
ein Segelflugzeug
balloon
ein Ballon
carriage
der Wagen
traffic
der Verkehr
driver
der Fahrer
cement mixer
eine Betonmischmaschine
van
ein Transporter
tyre
ein Reifen
bicycle
das Fahrrad
jogger
ein Jogger
canal
der Kanal
twenty-one
einundzwanzig

newsagent
ein Zeitungsverkäufer
factory
die Fabrik
lorry
der Lastwagen
bridge
die Brücke
In the town
In der Stadt
airport
der Flughafen
supermarket
der Supermarkt
petrol station
die Tankstelle
the cyclist(fem)
die Radfahrerin
lamp post
der Laternenpfahl
car
das Auto
our house
unser Haus
church
die Kirche
motorbike
das Motorrad

bus
der Autobus
aeroplane
das Flugzeug
café
das Café
statue
die Statue
railway station
der Bahnhof
train
der Zug
fire station
die Feuerwache
canal
der Kanal
road
die Straße
flats
der Wohnblock
pavement
der Bürgersteig
hotel
das Hotel
telephone box
die Telefonzelle
cinema
das Kino

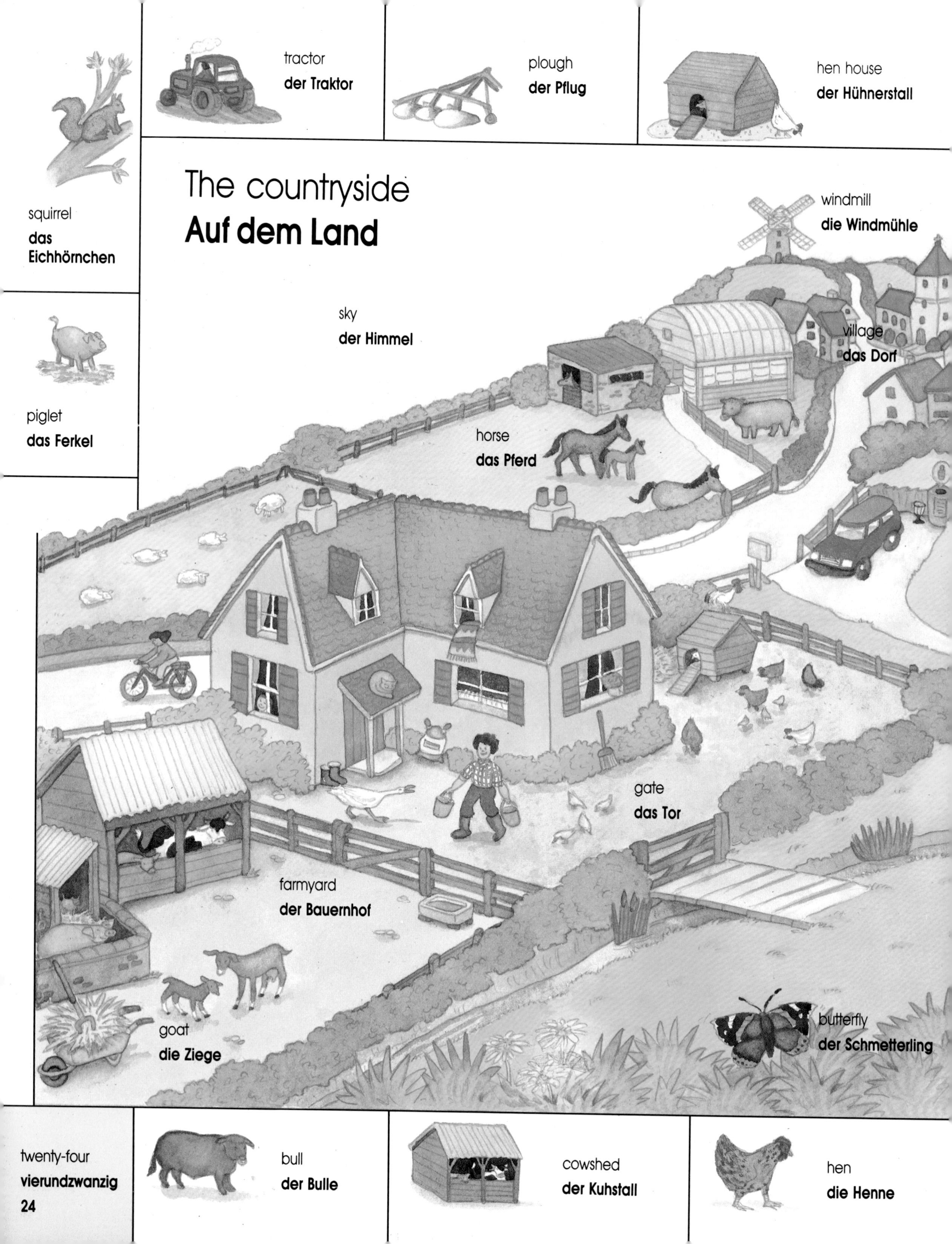
tractor
der Traktor
plough
der Pflug
hen house
der Hühnerstall
squirrel
das Eichhörnchen
The countryside
Auf dem Land
windmill
die Windmühle
sky
der Himmel
village
das Dorf
piglet
das Ferkel
horse
das Pferd
gate
das Tor
farmyard
der Bauernhof
butterfly
der Schmetterling
goat
die Ziege
bull
der Bulle
cowshed
der Kuhstall
hen
die Henne

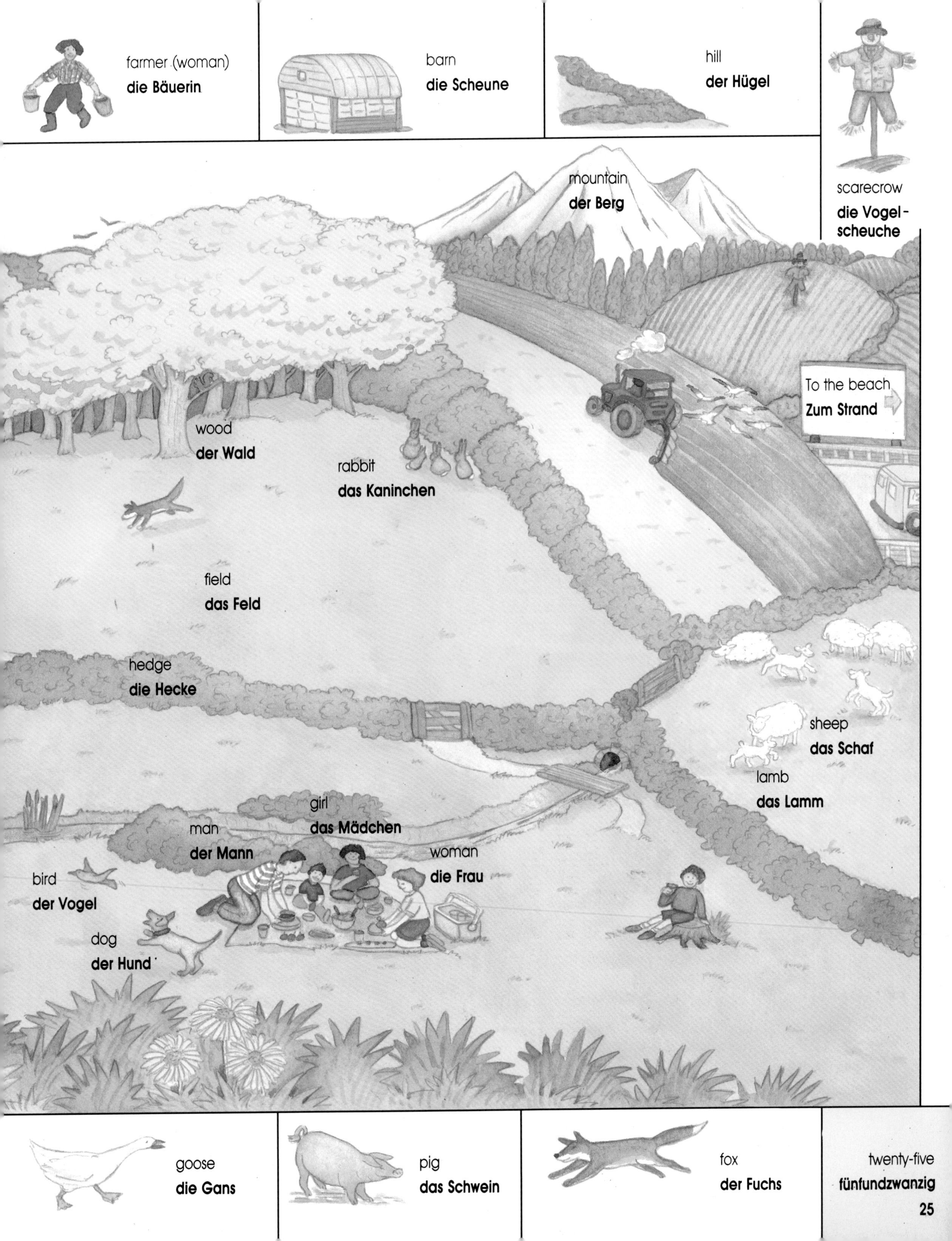

farmer (woman)
die Bäuerin
barn
die Scheune
hill
der Hügel
scarecrow
die Vogel-
scheuche
mountain
der Berg
To the beach
Zum Strand
wood
der Wald
rabbit
das Kaninchen
field
das Feld
hedge
die Hecke
sheep
das Schaf
lamb
das Lamm
girl
das Mädchen
man
der Mann
woman
die Frau
bird
der Vogel
dog
der Hund
goose
die Gans
pig
das Schwein
fox
der Fuchs

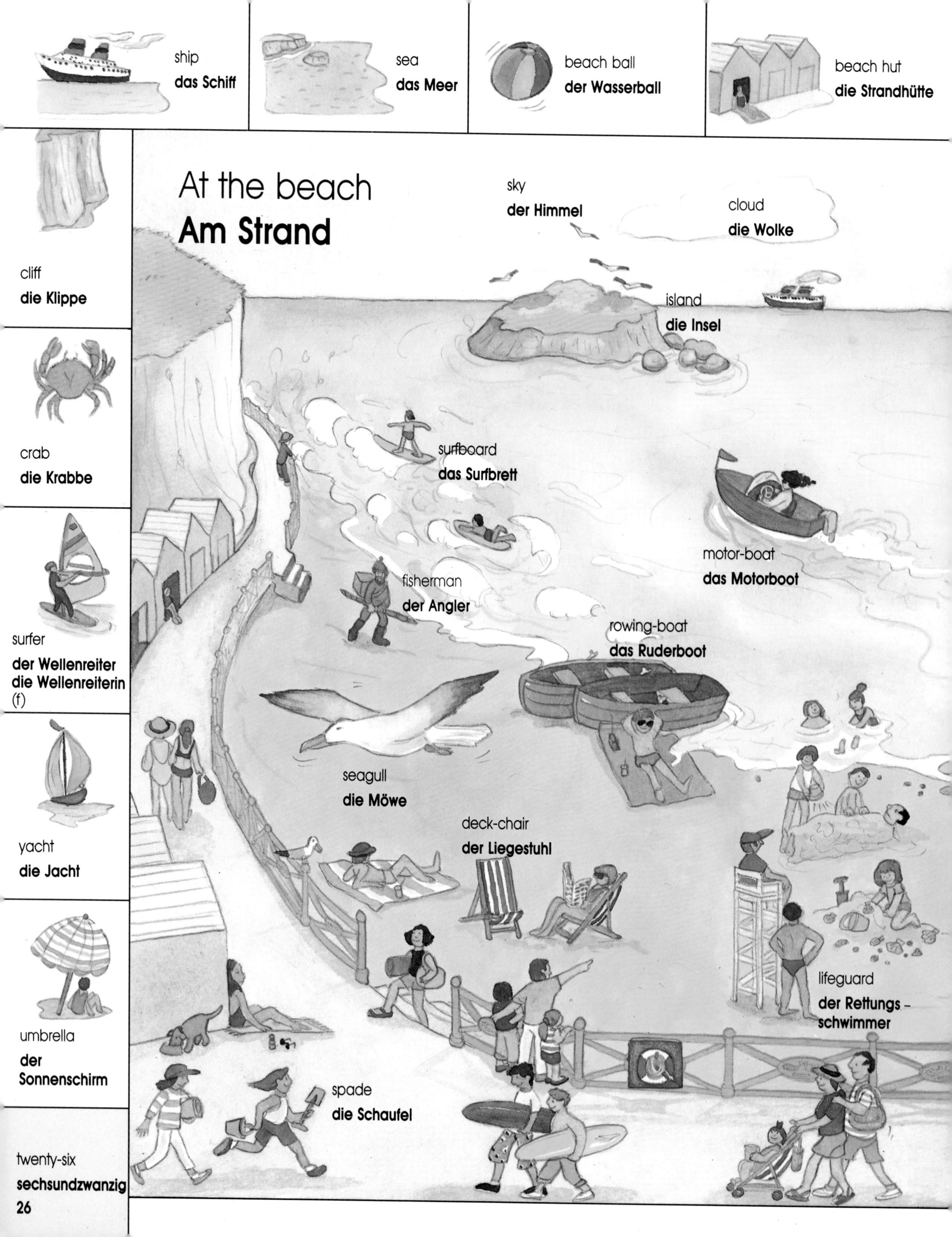
ship
das Schiff
sea
das Meer
beach ball
der Wasserball
beach hut
die Strandhütte
At the beach
Am Strand
sky
der Himmel
cloud
die Wolke
cliff
die Klippe
island
die Insel
crab
die Krabbe
surfboard
das Surfbrett
motor-boat
das Motorboot
surfer
der Wellenreiter
die Wellenreiterin
(f)
fisherman
der Angler
rowing-boat
das Ruderboot
seagull
die Möwe
yacht
die Jacht
deck-chair
der Liegestuhl
umbrella
der
Sonnenschirm
lifeguard
der Rettungs -
schwimmer
spade
die Schaufel
twenty-six
sechsundzwanzig
26

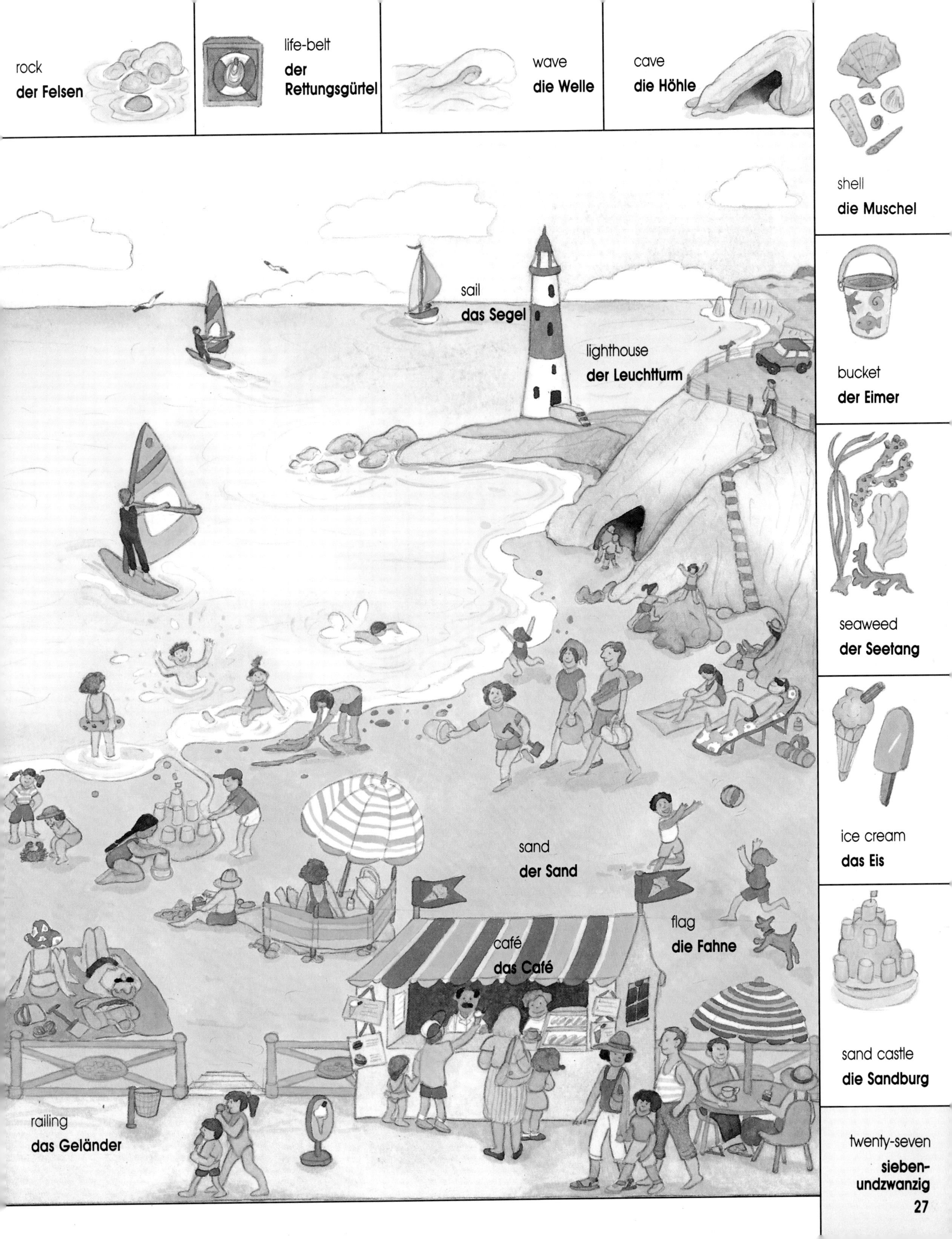
rock
der Felsen
life-belt
der Rettungsgürtel
wave
die Welle
cave
die Höhle
shell
die Muschel
sail
das Segel
lighthouse
der Leuchtturm
bucket
der Eimer
seaweed
der Seetang
ice cream
das Eis
sand
der Sand
flag
die Fahne
café
das Café
sand castle
die Sandburg
railing
das Geländer

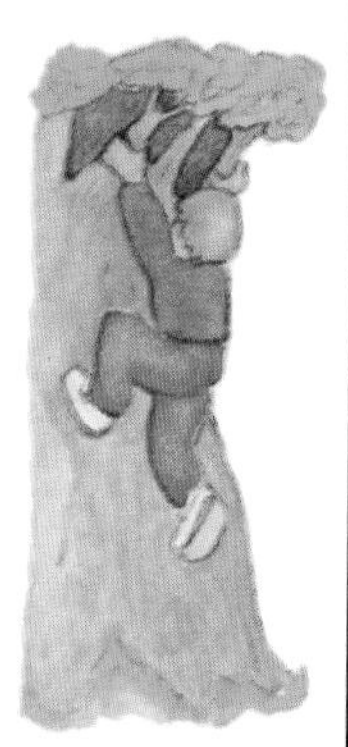

climb
**klettern**

talk
**reden**

break
**brechen**

hang
**hängen**

follow
**folgen**

# What shall we do?
# **Was wollen wir tun?**

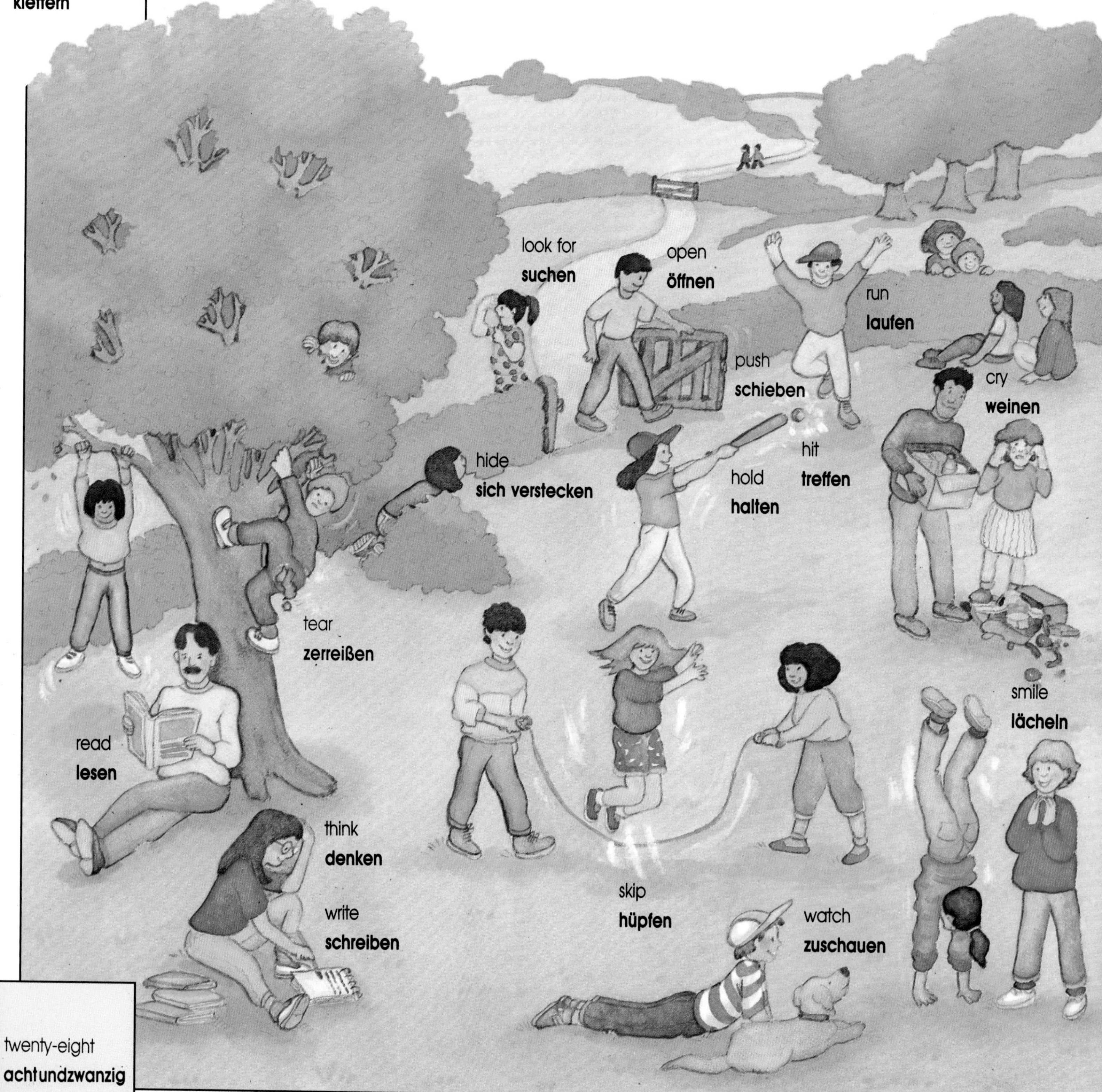

carry
tragen
sit
sitzen
pickup
aufheben
pour
gießen
stand
stehen
drop
fallen lassen
kick
treten
shout
schreien
pull
ziehen
eat
essen
drink
trinken
listen
hören
lean
sich anlehnen
play
spielen
sleep
schlafen
throw
werfen
catch
fangen
jump
springen
point
zeigen

easel
die Staffelei
castle
das Schloß
patient
der Patient/
die Patientin (f)
palette
die Palette
saucepan
der Kochtopf
I want to be ...
Ich will ... sein
singer
die Sängerin (f)/
der Sänger
goal
das Tor
band
die Band
microphone
das Mikrophon
engine driver
der Lokomotivführer
artist
der Künstler/ die Künstlerin (f)
brother and sister
der Bruder und
die Schwester
jockey
der Jockei
father
der Vater
mother
die Mutter
baby
das Baby
pillow
das Kissen
paintbrush
der Pinsel
stethoscope
das Stethoskop
child/children
das Kind/ die Kinder
footballer
der Fußballspieler
doctor
der Arzt/ die Ärztin (f)
thirty
dreißig
30
stage
die Bühne
bandage
die Binde
paint
die Farbe

bowl
die Schüssel
pupil
der Schüler/
die Schülerin (f)
computer
der Computer
drums
das Schlagzeug
wastepaper
basket
der Papierkorb
actress/actor
die Schauspielerin (f) /der Schauspieler
pilot
der Pilot
shopkeeper
der Ladeninhaber/
die Ladeninhaberin (f)
jockey's cap
die
Jockeikappe
blackboard
die Wandtafel
editor
die Herausgeberin (f)
der Herausgeber
guitar
die Gitarre
clown
der Clown
teacher
der Lehrer/die Lehrerin (f)
customer
die Kundin
builder
der Bauarbeiter
cook
der Koch/die Köchin (f)
reins
die Zügel
saddle
der Sattel
safety helmet
der Schutzhelm
brick
der Ziegelstein
food mixer
die Küchenmaschine
thirty-one
einunddreißig
31

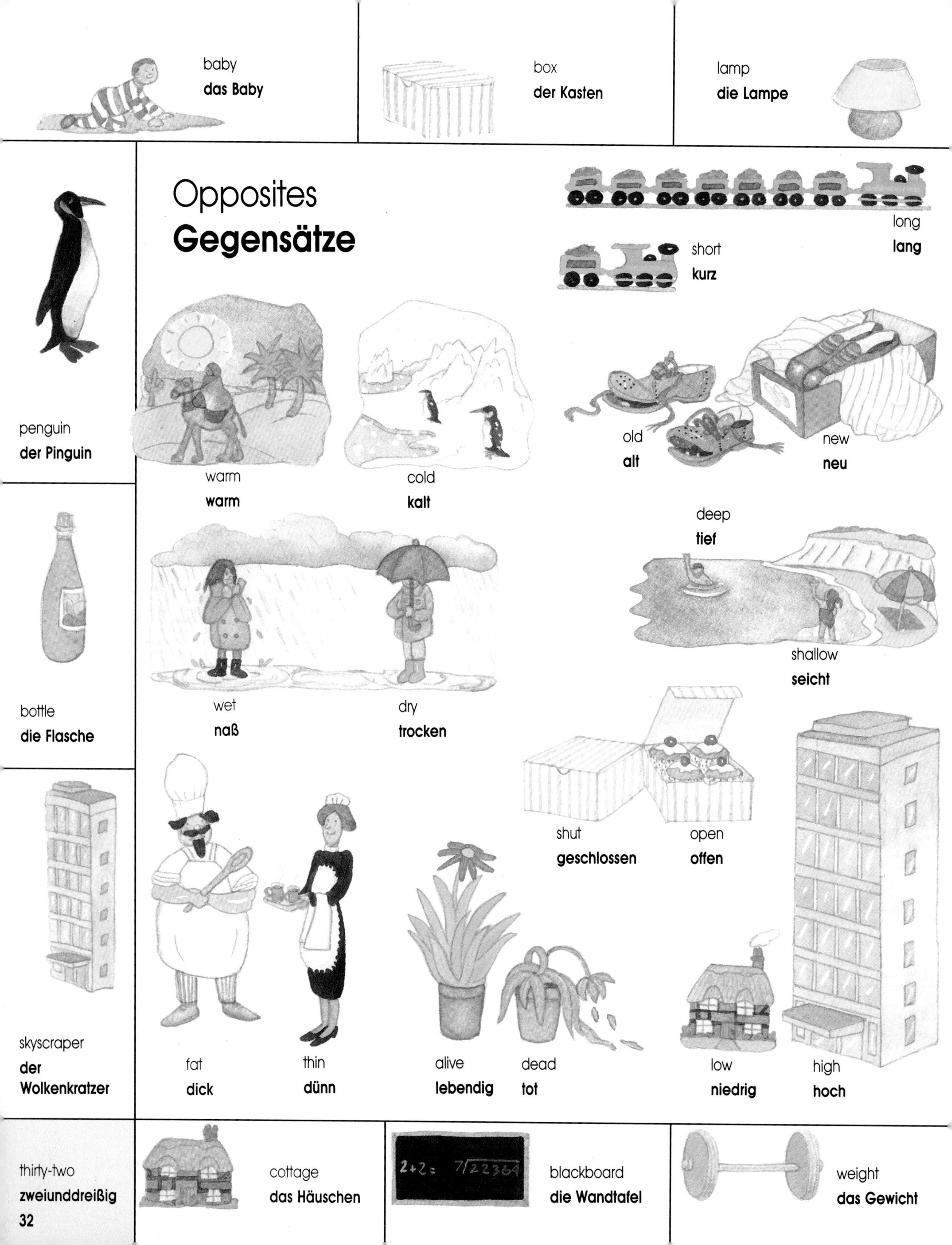

baby
das Baby
box
der Kasten
lamp
die Lampe
Opposites
Gegensätze
long
lang
short
kurz
penguin
der Pinguin
warm
warm
cold
kalt
old
alt
new
neu
deep
tief
shallow
seicht
bottle
die Flasche
wet
naß
dry
trocken
shut
geschlossen
open
offen
skyscraper
der Wolkenkratzer
fat
dick
thin
dünn
alive
lebendig
dead
tot
low
niedrig
high
hoch
thirty-two
zweiunddreißig
32
cottage
das Häuschen
blackboard
die Wandtafel
weight
das Gewicht

cactus
der Kaktus
stool
der Schemel
puddle
die Pfütze
sour
sauer
sweet
süß
slow
langsam
fast
schnell
obedient
gehorsam
naughty
ungehorsam
dark
dunkel
light
hell
little
klein
big
groß
palm
die Palme
cook
der Koch
clean
sauber
dirty
schmutzig
hard
hart
soft
weich
strong
stark
weak
schwach
full
voll
empty
leer
2+2= 7)22369
easy
einfach
difficult
schwer
waitress
die Kellnerin
iceberg
der Eisberg
lemon
die Zitrone
bar of chocolate
eine Tafel Schokolade
thirty-three
dreiunddreißig

I
ich
you
du, ihr, Sie
he
er
she
sie
we
wir
they
sie
Where are you?
Wo bist du?
over
über
From the zoo
Vom Zoo
To the zoo
Zum Zoo
gate
das Tor
under
unter
first
erster/erste/erstes
steps
die Treppe
last
letzter, letzte, letztes
behind
hinter
skipping rope
das Sprungseil
in front
vor
wall
die Mauer
with
mit
without
ohne
thirty-four
vierunddreißig
34
climbing frame
das Klettergerüst
sand pit
der Sandkasten

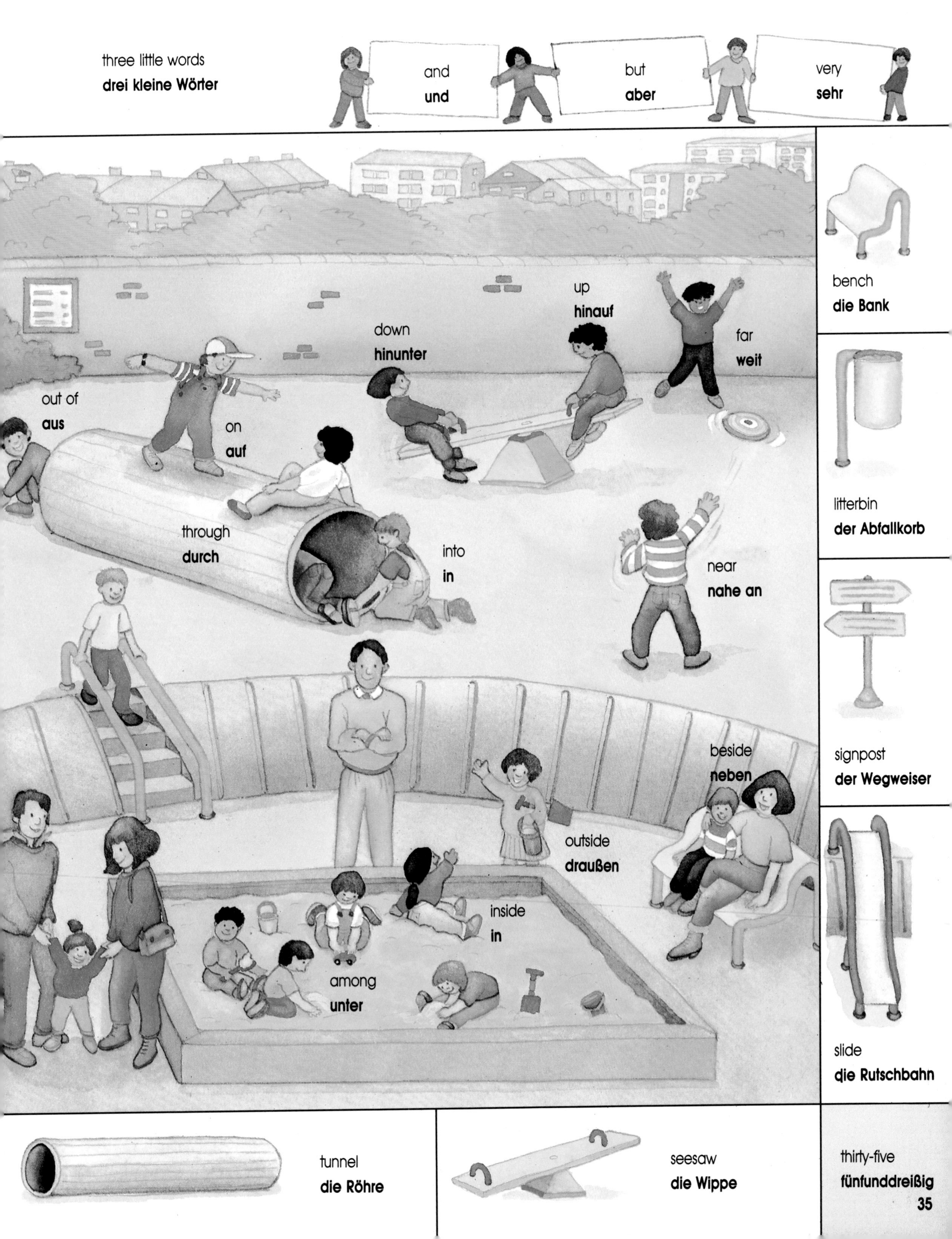
three little words
drei kleine Wörter
and
und
but
aber
very
sehr
bench
die Bank
up
hinauf
far
weit
down
hinunter
out of
aus
on
auf
litterbin
der Abfallkorb
through
durch
into
in
near
nahe an
signpost
der Wegweiser
beside
neben
outside
draußen
inside
in
among
unter
slide
die Rutschbahn
tunnel
die Röhre
seesaw
die Wippe

# What's the weather?
# **Wie ist das Wetter?**

the months
**die Monate**

| | | |
|---|---|---|
| January | May | September |
| **Januar** | **Mai** | **September** |
| February | June | October |
| **Februar** | **Juni** | **Oktober** |
| March | July | November |
| **März** | **Juli** | **November** |
| April | August | December |
| **April** | **August** | **Dezember** |

year
**das Jahr**

seasons
**die Jahreszeiten**

spring
**der Frühling**

It's a nice day.
**Es ist sehr schön heute.**

summer
**der Sommer**

It is warm.
**Es ist warm.**

autumn
**der Herbst**

It is windy.
**Es ist windig.**

winter
**der Winter**

It is cold.
**Es ist kalt.**

sledge
**der Rodelschlitten**

rain
**der Regen**

snow
**der Schnee**

snowman
**der Schneemann**

wind
**der Wind**

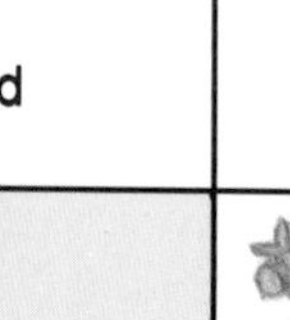

daffodil
**die Osterglocke**

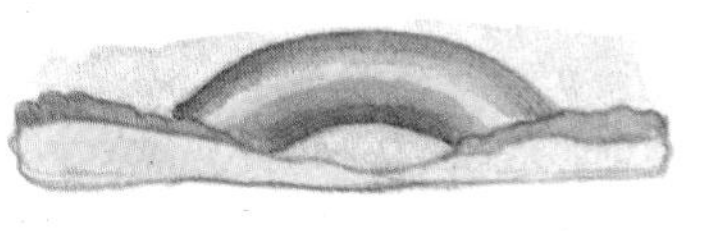

rainbow
**der Regenbogen**

cock
**der Hahn**

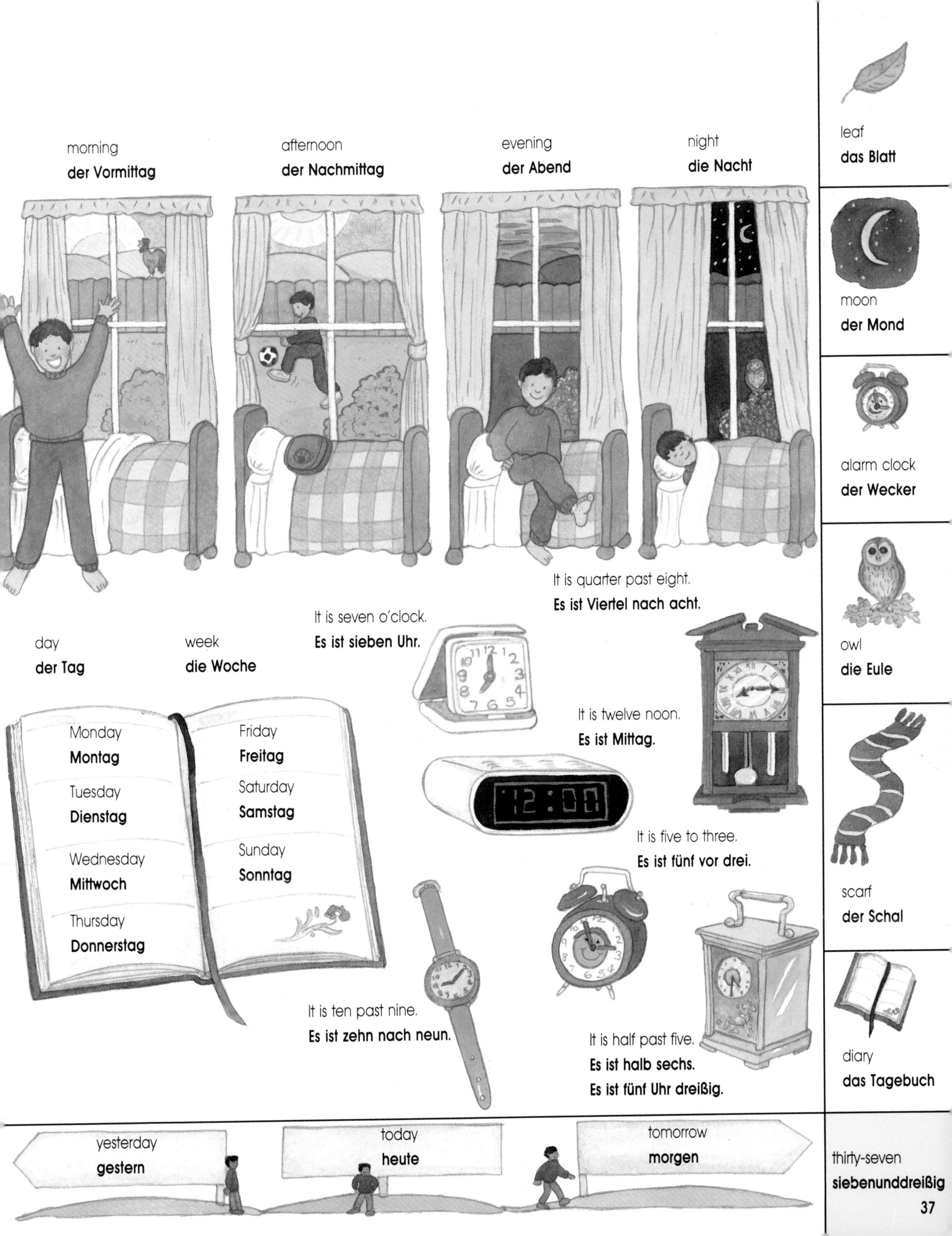
morning
der Vormittag
afternoon
der Nachmittag
evening
der Abend
night
die Nacht
leaf
das Blatt
moon
der Mond
alarm clock
der Wecker
It is quarter past eight.
Es ist Viertel nach acht.
It is seven o'clock.
Es ist sieben Uhr.
day
der Tag
week
die Woche
owl
die Eule
It is twelve noon.
Es ist Mittag.
Monday
Montag
Tuesday
Dienstag
Wednesday
Mittwoch
Thursday
Donnerstag
Friday
Freitag
Saturday
Samstag
Sunday
Sonntag
12:00
It is five to three.
Es ist fünf vor drei.
scarf
der Schal
It is ten past nine.
Es ist zehn nach neun.
It is half past five.
Es ist halb sechs.
Es ist fünf Uhr dreißig.
diary
das Tagebuch
yesterday
gestern
today
heute
tomorrow
morgen
thirty-seven
siebenunddreißig

Where?
**Wo?**

I have
**ich habe**

You have (familiar)
**du hast**

he has
**er hat**

she has
**sie hat**

How much/
How many?
**Wie viele?**

# First phrases
# Erste Redewendungen

When?
**Wann?**

Why?
**Warum?**

How are things?
**Wie geht es?**

Hello. How are you?
**Guten Tag. Wie geht es Ihnen?**
**Wie geht es dir?**

Goodbye. See you soon.
**Auf Wiedersehen. Bis bald.**

Excuse me
**Entschuldigung**

Have you...?
**Haben Sie...?**

Is there...?
**Gibt es...?**

How old are you?
**Wie alt sind Sie?**
**Wie alt bist du?**

I am ninety years old.
**Ich bin neunzig Jahre alt.**

Do you speak German/English?
**Sprechen Sie Deutsch/ Englisch?**

Private
**privat**

What's your name?
**Wie heißen Sie?**
**Wie heißt du?**

What time is it, please?
**Wieviel Uhr ist es, bitte?**
It is six o'clock.
**Es ist sechs Uhr.**

we have
**wir haben**

you have (polite)
**Sie haben**

they have
**sie haben**

you have (plural familiar)
**ihr habt**

I am
**ich bin**

Mr Smith
**Herr Schmidt**

Mrs Smith
**Frau Schmidt**

Miss Smith
**Fräulein Schmidt**

man
**der Mann**

father
**der Vater**

woman
**die Frau**

mother
**die Mutter**

girl
**das Mädchen**

daughter
**die Tochter**

on the right
**auf der rechten Seite**

on the left
**auf der linken Seite**

straight ahead
**geradeaus**

behind
**hinter**

in front of
**vor**

open
**offen**

closed
**geschlossen**

I am hungry.
**Ich habe Hunger.**

I am thirsty.
**Ich habe Durst.**

you are (familiar)
**du bist**

he is
**er ist**

she is
**sie ist**

we are
**wir sind**

you are (polite)
**Sie sind**

they are
**sie sind**

please
**bitte**

thank you
**danke**

thirty-nine
**neununddreißig**

# Word list/Vokabular

## English/German

| English | German |
|---|---|
| actor | der Schauspieler |
| actress | die Schauspielerin |
| aerial | die Antenne |
| aeroplane | das Flugzeug |
| afternoon | der Nachmittag |
| airport | der Flughafen |
| alarm clock | der Wecker |
| alive | lebendig |
| among | unter |
| and | und |
| ankle | der Knöchel |
| anteater | der Ameisenbär |
| April | April |
| arm | der Arm |
| armchair | der Sessel |
| artist | der Künstler |
| astronaut | der Astronaut |
| August | August |
| autumn | der Herbst |
| baby | das Baby |
| back | der Rücken |
| bag | der Beutel |
| ballet dancer(f) | die Ballettänzerin |
| balloon | der Luftballon |
| (hot air) | ein Ballon |
| band | die Band |
| bandage | die Binde |
| bar of chocolate | eine Tafel Schokolade |
| barn | die Scheune |
| bat | die Fledermaus |
| bath | die Badewanne |
| bathroom | das Badezimmer |
| beach ball | der Wasserball |
| beach hut | die Strandhütte |
| beard | der Bart |
| bed | das Bett |
| bedroom | das Schlafzimmer |
| bee | die Biene |
| behind | hinter |
| belt | der Gürtel |
| bench | die Bank |
| beside | neben |
| bicycle | das Fahrrad |
| big | groß |
| bird | der Vogel |
| biscuit | das Plätzchen |
| blackboard | die Wandtafel |
| bonnet (car) | die Motorhaube |
| book | das Buch |
| bookcase | der Bücherschrank |
| bottle | die Flasche |
| bow | die Schleife |
| bowl | die Schüssel |
| box | der Kasten |
| boy | der Junge |
| break | brechen |
| bricks (toys) | die Bauklötze |
| bridge | die Brücke |
| broom | der Besen |
| brother | der Bruder |
| bucket | der Eimer |
| bull | der Bulle |
| bus | der Autobus |
| but | aber |
| butterfly | der Schmetterling |
| cactus | der Kaktus |
| café | das Café |
| cake | der Kuchen |
| camera | der Fotoapparat |
| canal | der Kanal |
| candle | die Kerze |
| canoe | ein Kanu |
| car | das Auto |
| caravan | ein Wohnwagen |
| card | die Karte |
| carriage | der Wagen |
| carry | tragen |
| castle | das Schloß |
| cat | die Katze |
| catch | fangen |
| cave | die Höhle |
| cement mixer | eine Betonmischmaschine |
| chair | der Stuhl |
| cheek | die Wange |
| chest | die Brust |
| child | das Kind |
| children | die Kinder |
| chimney | der Schornstein |
| chin | das Kinn |
| church | die Kirche |
| cinema | das Kino |
| clean | sauber |
| cliff | die Klippe |
| climb | klettern |
| cloak | der Umhang |
| clock | die Uhr |
| cloud | die Wolke |
| clown | der Clown |
| cock | der Hahn |
| cold | kalt |
| collar (dog) | das Halsband |
| comb | der Kamm |
| computer | der Computer |
| control tower | der Kontrollturm |
| cooker | der Herd |
| cottage | das Häuschen |
| cowshed | der Kuhstall |
| crab | die Krabbe |
| cracker | das Knallbonbon |
| crisps | die Kartoffelchips |
| cry | weinen |
| curtain | der Vorhang |
| customer | die Kundin |
| cyclist(f) | die Radfahrerin |
| daffodil | die Osterglocke |
| daughter | die Tochter |
| day | der Tag |
| dead | tot |
| December | Dezember |
| deck-chair | der Liegestuhl |
| deep | tief |
| deer | der Hirsch |
| diary | das Tagebuch |
| difficult | schwer |
| dirty | schmutzig |
| doctor | der Arzt/die Ärztin |
| dog | der Hund |
| doll's house | das Puppenhaus |
| dolphin | der Delphin |
| dominoes | das Dominospiel |
| donkey | der Esel |
| door | die Tür |
| dressing gown | der Morgenrock |
| dress | das Kleid |
| drink | trinken |
| drinking straw | der Strohhalm |
| driver | der Fahrer |
| drop | fallen lassen |
| drums | das Schlagzeug |
| dry | trocken |
| duck | eine Ente |
| duvet | das Federbett |
| eagle | der Adler |
| ear | das Ohr |
| easel | die Staffelei |
| easy | einfach |
| eat | essen |
| editor | der Herausgeber |
| elbow | der Ellbogen |
| empty | leer |
| evening | der Abend |
| eye | das Auge |
| face | das Gesicht |
| factory | die Fabrik |
| far | weit |
| farmer(f) | die Bäuerin |
| farmyard | der Bauernhof |
| father | der Vater |
| February | Februar |
| field | das Feld |
| finger | der Finger |
| fire station | die Feuerwache |
| firefighter | der Feuerwehrmann |
| fish | der Fisch |
| fisherman | der Fischer |
| fishing rod | die Angelrute |
| flag | die Fahne |
| flats | der Wohnblock |
| floor | der Fußboden |
| flowerbed | das Blumenbeet |
| follow | folgen |
| food | das Essen |
| foot | der Fuß |
| football | der Fußball |
| fork | die Gabel |
| fox | der Fuchs |
| Friday | Freitag |
| full | voll |
| garage | die Garage |
| garden | der Garten |
| gate | das Tor |
| giraffe | die Giraffe |
| girl | das Mädchen |
| glass | das Glas |
| glider | ein Segelflugzeug |
| glove | der Handschuh |
| goal | das Tor |
| goat | die Ziege |
| Goodbye | Auf Wiedersehen |
| goose | die Gans |
| greenhouse | das Gewächshaus |
| guitar | die Gitarre |

| | |
|---|---|
| **hair** | das Haar |
| **hairbrush** | die Haarbürste |
| **hamburger** | der Hamburger |
| **hand** | die Hand |
| **handkerchief** | das Taschentuch |
| **hang** | hängen |
| **hanger** | der Kleiderbügel |
| **hard** | hart |
| **hat** | der Hut |
| **he** | er |
| **head** | der Kopf |
| **hedge** | die Hecke |
| **helicopter** | der Hubschrauber |
| **Hello** | Guten Tag |
| **helmet** | der Helm |
| **hen** | die Henne |
| **henhouse** | der Hühnerstall |
| **high** | hoch |
| **hill** | der Hügel |
| **hit** | treffen |
| **hold** | halten |
| **hood** | die Kapuze |
| **horse** | das Pferd |
| **hosepipe** | der Schlauch |
| **hot** | heiß |
| **hotel** | das Hotel |
| **hour** | die Stunde |
| **house** | das Haus |
| **hovercraft** | ein Luftkissenfahrzeug |
| **hunger** | der Hunger |
| | |
| **I** | ich |
| **ice cream** | das Eis |
| **iceberg** | der Eisberg |
| **in front of** | vor |
| **inside** | in |
| **into** | in |
| **island** | die Insel |
| | |
| **January** | Januar |
| **jelly** | das Fruchtgelee |
| **jigsaw** | das Puzzle |
| **jockey** | der Jockei |
| **jockey's cap** | die Jockeikappe |
| **jogger** | ein Jogger |
| **July** | Juli |
| **jump** | springen |
| **June** | Juni |
| | |
| **kangaroo** | das Känguruh |
| **kick** | treten |
| **kitchen** | die Küche |
| **kite** | der Drachen |
| **knee** | das Knie |
| **knight** | der Ritter |
| **koala** | der Koala |
| | |
| **lamb** | das Lamm |
| **lamp post** | der Laternenpfahl |
| **lantern** | die Laterne |
| **lavatory** | die Toilette |
| **lawn** | der Rasen |
| **lawnmower** | der Rasenmäher |
| **lead** | die Leine |
| **leaf** | das Blatt |
| **lean** | sich anlehnen |
| **left** | links |
| **leg** | das Bein |
| **lemon** | die Zitrone |
| **leopard** | der Leopard |
| **life-belt** | der Rettungsgürtel |
| **lighthouse** | der Leuchtturm |
| **lion** | der Löwe |
| **lioness** | die Löwin |
| **listen** | hören |
| **litterbin** | der Abfallkorb |
| **little** | klein |
| **locomotive** | die Lokomotive |
| **lollipop** | der Lutscher |
| **long** | lang |
| **look for** | suchen |
| **lorry** | der Lastwagen |
| **low** | niedrig |
| | |
| **man** | der Mann |
| **March** | März |
| **mask** | die Maske |
| **May** | Mai |
| **microphone** | das Mikrophon |
| **mirror** | der Spiegel |
| **Miss** | Fräulein |
| **mobile** | das Mobile |
| **Monday** | Montag |
| **monkey** | der Affe |
| **month** | der Monat |
| **moon** | der Mond |
| **morning** | der Vormittag |
| **mother** | die Mutter |
| **motor bike** | das Motorrad |
| **motor boat** | das Motorboot |
| **motorway** | eine Autobahn |
| **mountain** | der Berg |
| **mouth** | der Mund |
| **Mr** | Herr |
| **Mrs** | Frau |
| **music** | die Musik |
| | |
| **naughty** | ungehorsam |
| **near** | nahe an |
| **neck** | der Hals |
| **new** | neu |
| **nightdress** | das Nachthemd |
| **night** | die Nacht |
| **Noah's ark** | die Arche Noah |
| **nose** | die Nase |
| **November** | November |
| | |
| **obedient** | gehorsam |
| **October** | Oktober |
| **oil tanker** | der Öltanker |
| **old** | alt |
| **on** | auf |
| **open** | offen |
| **open (to)** | öffnen |
| **ostrich** | der Strauß |
| **out of** | aus |
| **outside** | draußen |
| **over** | über |
| **overcoat** | der Mantel |
| **owl** | die Eule |
| | |
| **paddle** | ein Paddel |
| **paintbrush** | der Pinsel |
| **paint** | die Farbe |
| **palette** | die Palette |
| **palm tree** | die Palme |
| **paper hat** | der Hut |
| **parrot** | der Papagei |
| **path** | der Pfad |
| **patient (hospital)** | der Patient |
| **pavement** | der Bürgersteig |
| **pelican** | der Pelikan |
| **penguin** | der Pinguin |
| **petrol station** | die Tankstelle |
| **piano** | das Klavier |
| **pick up** | aufheben |
| **picture** | das Bild |
| **pig** | das Schwein |
| **pillow** | das Kissen |
| **pilot** | der Pilot |
| **plant** | die Pflanze |
| **plate** | der Teller |
| **play** | spielen |
| **please** | bitte |
| **plough** | der Pflug |
| **pocket** | die Tasche |
| **polar bear** | der Eisbär |
| **pony** | das Pony |
| **porcupine** | das Stachelschwein |
| **pour** | gießen |
| **present** | das Geschenk |
| **private** | privat |
| **puddle** | die Pfütze |
| **pull** | ziehen |
| **pullover** | der Pullover |
| **puppet** | die Marionette |
| **puppy** | das Hündchen |
| **push** | schieben |
| **pyjamas** | der Schlafanzug |
| | |
| **rabbit** | das Kaninchen |
| **radio** | das Radio |
| **railing** | das Geländer |
| **railway line** | das Bahngleis |
| **rain** | der Regen |
| **rainbow** | der Regenbogen |
| **raincoat** | der Regenmantel |
| **read** | lesen |
| **record** | die Schallplatte |
| **record player** | der Plattenspieler |
| **reins** | die Zügel |
| **rhinoceros** | das Nashorn |
| **right** | rechts |
| **river** | ein Fluß |
| **road** | die Straße |
| **rock** | der Felsen |
| **roller skates** | die Rollschuhe |
| **roof** | das Dach |
| **rowing boat** | das Ruderboot |
| **run** | laufen |
| | |
| **saddle** | der Sattel |
| **sail** | das Segel |
| **sailor** | der Seemann |
| **sand** | der Sand |
| **sand pit** | der Sandkasten |
| **sandwich** | das Sandwich |
| **sand-castle** | die Sandburg |
| **satchel** | der Schulranzen |
| **Saturday** | Samstag |
| **saucepan** | der Kochtopf |
| **scarecrow** | die Vogelscheuche |
| **scarf** | das Halstuch |
| **sea** | das Meer |
| **seagull** | die Möwe |
| **seasons** | die Jahreszeiten |
| **seaweed** | der Seetang |
| **seesaw** | die Wippe |
| **September** | September |
| **shallow** | seicht |
| **she** | sie |
| **sheep** | das Schaf |
| **shelf** | das Regal |
| **shell** | die Muschel |
| **ship** | das Schiff |
| **shirt** | das Hemd |

| | |
|---|---|
| **shoe** | der Schuh |
| **shopkeeper** | der Ladeninhaber |
| **short** | kurz |
| **shoulder** | die Schulter |
| **shout** | schreien |
| **shower** | die Dusche |
| **signpost** | der Wegweiser |
| **singer(f)** | die Sängerin |
| **sister** | die Schwester |
| **sit** | sitzen |
| **sitting-room** | das Wohnzimmer |
| **skip** | hüpfen |
| **skipping rope** | das Sprungseil |
| **skirt** | der Rock |
| **sky** | der Himmel |
| **skyscraper** | der Wolkenkratzer |
| **sleep** | schlafen |
| **slipper** | der Pantoffel |
| **sloth** | das Faultier |
| **slow** | langsam |
| **smile** | lächeln |
| **snake** | die Schlange |
| **snow** | der Schnee |
| **snowman** | der Schneemann |
| **socks** | die Socken |
| **sofa** | das Sofa |
| **soft** | weich |
| **soldier** | der Soldat |
| **sour** | sauer |
| **spade** | die Schaufel, der Spaten |
| **spider** | die Spinne |
| **spinning top** | der Kreisel |
| **spoon** | der Löffel |
| **spring** | der Frühling |
| **squirrel** | das Eichhörnchen |
| **stage** | die Bühne |
| **staircase** | die Treppe |
| **stand** | stehen |
| **station** | der Bahnhof |
| **statue** | die Statue |
| **steering wheel** | das Lenkrad |
| **stethoscope** | das Stethoskop |
| **stomach** | der Magen, der Bauch |
| **stool** | der Schemel |
| **straight ahead** | geradeaus |
| **summer** | der Sommer |
| **sun** | die Sonne |
| **Sunday** | Sonntag |

| | |
|---|---|
| **sunglasses** | die Sonnenbrille |
| **supermarket** | der Supermarkt |
| **surfboard** | das Surfbrett |
| **surfer** | der Wellenreiter |
| **sweet** | süß |
| **swimming pool** | das Schwimmbecken |
| **swing** | die Schaukel |
| **table** | der Tisch |
| **tail** | der Schwanz |
| **talk** | reden |
| **teacher** | der Lehrer |
| **tear** | zerreißen |
| **teddy bear** | der Teddybär |
| **teeth** | die Zähne |
| **telephone box** | die Telefonzelle |
| **television** | der Fernsehapparat |
| **tent** | ein Zelt |
| **thank you** | danke |
| **they** | sie |
| **think** | denken |
| **thirst** | der Durst |
| **through** | durch |
| **throw** | werfen |
| **thumb** | der Daumen |
| **Thursday** | Donnerstag |
| **tie** | die Krawatte |
| **tiger** | der Tiger |
| **tights** | die Strumpfhose |
| **today** | heute |
| **toe** | die Zehe |
| **tomorrow** | morgen |
| **tongue** | die Zunge |
| **torch** | die Taschenlampe |
| **tortoise** | die Schildkröte |
| **town centre** | das Stadtzentrum |
| **toy box** | die Spielzeugkiste |
| **tractor** | der Traktor |
| **traffic** | der Verkehr |
| **train** | der Zug |
| **tree** | der Baum |
| **tricyle** | das Dreirad |
| **trousers** | die Hose |
| **trowel** | die Kelle |
| **trunk** | der Baumstamm |
| **Tuesday** | Dienstag |
| **tunnel** | die Röhre |
| **tyre** | ein Reifen |

| | |
|---|---|
| **umbrella** | der Regenschirm |
| **umbrella (sun)** | der Sonnenschirm |
| **under** | unter |
| **up** | hinauf |
| **van** | ein Transporter |
| **very** | sehr |
| **village** | das Dorf |
| **waitress** | die Kellnerin |
| **wall** | die Wand |
| **wardrobe** | der Kleiderschrank |
| **warm** | warm |
| **washbasin** | das Waschbecken |
| **wastepaper basket** | der Papierkorb |
| **watch (to)** | zuschauen |
| **wave** | die Welle |
| **we** | wir |
| **Wednesday** | Mittwoch |
| **week** | die Woche |
| **weight** | das Gewicht |
| **wellies** | die Gummistiefel |
| **wet** | naß |
| **wheel** | das Rad |
| **wheelbarrow** | der Schubkarren |
| **when?** | wann? |
| **where?** | wo? |
| **whistle** | die Pfeife |
| **why?** | warum? |
| **wife** | die Frau |
| **wind** | der Wind |
| **windmill** | die Windmühle |
| **window** | das Fenster |
| **windscreen** | die Windschutzscheibe |
| **winter** | der Winter |
| **with** | mit |
| **without** | ohne |
| **wolf** | der Wolf |
| **woman** | die Frau |
| **wood** | der Wald |
| **word** | das Wort |
| **write** | schreiben |
| **yacht** | die Jacht |
| **year** | das Jahr |
| **yesterday** | gestern |

## **Deutsch**/Englisch

| | |
|---|---|
| **der Abend** | evening |
| **aber** | but |
| **der Abfallkorb** | litterbin |
| **der Adler** | eagle |
| **der Affe** | monkey |
| **alt** | old |
| **der Ameisenbär** | anteater |
| **die Angelrute** | fishing rod |
| **die Antenne** | aerial |
| **April** | April |
| **die Arche Noah** | Noah's ark |
| **der Arm** | arm |
| **der Arzt** | doctor |
| **die Ärztin** | |
| **der Astronaut** | astronaut |
| **auf** | on |
| **Auf Wiedersehen** | Goodbye |

| | |
|---|---|
| **aufheben** | pick up |
| **das Auge** | eye |
| **August** | August |
| **aus** | out of |
| **das Auto** | car |
| **eine Autobahn** | motorway |
| **der Autobus** | bus |
| **das Baby** | baby |
| **die Badewanne** | bath |
| **das Badezimmer** | bathroom |
| **das Bahngleis** | railway line |
| **der Bahnhof** | station |
| **die Ballettänzerin** | ballet dancer |
| **ein Ballon** | balloon |
| **die Band** | band |

| | |
|---|---|
| **die Bank** | bench |
| **der Bart** | beard |
| **der Bauch** | stomach |
| **die Bäuerin** | farmer(f) |
| **der Bauernhof** | farmyard |
| **der Baum** | tree |
| **der Baumstamm** | trunk |
| **das Bein** | leg |
| **der Berg** | mountain |
| **der Besen** | broom |
| **eine Betonmischmaschine** | cement mixer |
| **das Bett** | bed |
| **der Beutel** | bag |
| **die Biene** | bee |
| **das Bild** | picture |
| **die Binde** | bandage |

| | |
|---|---|
| **bitte** | please |
| **das Blatt** | leaf |
| **das Blumenbeet** | flowerbed |
| **der Blumentopf** | flowerpot |
| **brechen** | break |
| **die Brücke** | bridge |
| **der Bruder** | brother |
| **die Brust** | chest |
| **das Buch** | book |
| **der Bücherschrank** | bookcase |
| **die Bühne** | stage |
| **der Bulle** | bull |
| **der Bürgersteig** | pavement |
| | |
| **das Café** | café |
| **der Clown** | clown |
| **der Computer** | computer |
| **das Cowgirl** | cowgirl |
| | |
| **das Dach** | roof |
| **danke** | thank you |
| **der Daumen** | thumb |
| **die Decke** | rug |
| **der Delphin** | dolphin |
| **denken** | think |
| **Dezember** | December |
| **Dienstag** | Tuesday |
| **das Dominospiel** | dominoes |
| **Donnerstag** | Thursday |
| **das Dorf** | village |
| **der Drachen** | kite |
| **draußen** | outside |
| **das Dreirad** | tricycle |
| **dunkel** | dark |
| **durch** | through |
| **der Durst** | thirst |
| **die Dusche** | shower |
| | |
| **die Ehefrau** | wife |
| **das Eichhörnchen** | squirrel |
| **der Eimer** | bucket |
| **einfach** | easy |
| **das Eis** | ice cream |
| **der Eisbär** | polar bear |
| **der Eisberg** | iceberg |
| **der Ellbogen** | elbow |
| **eine Ente** | duck |
| **er** | he |
| **der Esel** | donkey |
| **das Essen** | food |
| **essen** | eat |
| **das Etagenbett** | bunk |
| **die Eule** | owl |
| | |
| **die Fabrik** | factory |
| **die Fahne** | flag |
| **das Fahrrad** | bicycle |
| **der Fahrer** | driver |
| **fallen lassen** | drop |
| **fangen** | catch |
| **die Farbe** | paint |
| **das Faultier** | sloth |
| **Februar** | February |
| **das Federbett** | duvet |
| **das Feld** | field |
| **der Felsen** | rock |
| **das Fenster** | window |
| **der Fernsehapparat** | television |
| **die Feuerwache** | fire station |
| **der Feuerwehrmann** | firefighter |
| **der Finger** | finger |
| **der Fisch** | fish |
| **der Fischer** | fisherman |
| **die Flasche** | bottle |
| **die Fledermaus** | bat |
| **der Flughafen** | airport |
| **das Flugzeug** | aeroplane |
| **ein Fluß** | river |
| **folgen** | follow |
| **der Fotoapparat** | camera |
| **ein Frachtkahn** | barge |
| **die Frau** | woman |
| **Frau** | Mrs |
| **Fräulein** | Miss |
| **Freitag** | Friday |
| **das Fruchtgelee** | jelly |
| **der Frühling** | spring |
| **der Fuchs** | fox |
| **der Fuß** | foot |
| **der Fußboden** | floor |
| **der Fußball** | football |
| **der Fußballspieler** | footballer |
| | |
| **die Gabel** | fork |
| **die Gans** | goose |
| **die Garage** | garage |
| **der Garten** | garden |
| **gehorsam** | obedient |
| **das Geländer** | railing |
| **geradeaus** | straight ahead |
| **das Geschenk** | present |
| **geschlossen** | closed |
| **das Gesicht** | face |
| **gestern** | yesterday |
| **das Gewächshaus** | greenhouse |
| **die Gießkanne** | watering can |
| **gießen** | pour |
| **die Giraffe** | giraffe |
| **die Gitarre** | guitar |
| **das Glas** | glass |
| **groß** | big |
| **die Gummistiefel** | wellies |
| **der Gürtel** | belt |
| | |
| **das Haar** | hair |
| **die Haarbürste** | hairbrush |
| **der Hahn** | cock |
| **der Hals** | neck |
| **das Halsband** | collar |
| **halten** | hold |
| **der Hamburger** | hamburger |
| **die Hand** | hand |
| **der Handschuh** | glove |
| **hängen** | hang |
| **hart** | hard |
| **das Haus** | house |
| **das Häuschen** | cottage |
| **die Hecke** | hedge |
| **heiß** | hot |
| **hell** | light |
| **der Helm** | helmet |
| **das Hemd** | shirt |
| **die Henne** | hen |
| **der Herausgeber** | editor |
| **der Herbst** | autumn |
| **Herr** | Mr |
| **heute** | today |
| **der Himmel** | sky |
| **hinauf** | up |
| **hinter** | behind |
| **der Hirsch** | deer |
| **hoch** | high |
| **die Höhle** | cave |
| **hören** | listen |
| **die Hose** | trousers |
| **das Hotel** | hotel |
| **der Hubschrauber** | helicopter |
| **der Hügel** | hill |
| **der Hühnerstall** | henhouse |
| **der Hund** | dog |
| **das Hündchen** | puppy |
| **der Hunger** | hunger |
| **hüpfen** | skip |
| **der Hut** | hat |
| | |
| **ich** | I |
| **in** | inside, into |
| **die Insel** | island |
| | |
| **die Jacht** | yacht |
| **das Jahr** | year |
| **die Jahreszeiten** | seasons |
| **Januar** | January |
| **der Jockei** | jockey |
| **die Jockeikappe** | jockey's cap |
| **ein Jogger** | jogger |
| **Juli** | July |
| **der Junge** | boy |
| **Juni** | June |
| | |
| **der Kaktus** | cactus |
| **kalt** | cold |
| **der Kamm** | comb |
| **der Kanal** | canal |
| **das Känguruh** | kangaroo |
| **das Kaninchen** | rabbit |
| **ein Kanu** | canoe |
| **die Kapuze** | hood |
| **die Karte** | card |
| **die Kartoffelchips** | crisps |
| **der Kasten** | box |
| **die Katze** | cat |
| **die Kelle** | trowel |
| **die Kellnerin** | waitress |
| **die Kerze** | candle |
| **das Kind** | child |
| **die Kinder** | children |
| **das Kinn** | chin |
| **das Kino** | cinema |
| **die Kirche** | church |
| **das Kissen** | pillow |
| **das Klavier** | piano |
| **das Kleid** | dress |
| **der Kleiderbügel** | hanger |
| **der Kleiderschrank** | wardrobe |
| **klein** | little |
| **klettern** | climb |
| **die Klippe** | cliff |
| **das Knallbonbon** | cracker |
| **das Knie** | knee |
| **der Knöchel** | ankle |
| **der Koala** | koala |
| **der Koch** | cook |
| **der Kochtopf** | saucepan |
| **der Kontrollturm** | control tower |
| **der Kopf** | head |
| **die Krabbe** | crab |
| **die Krawatte** | tie |
| **der Kreisel** | spinning top |
| **die Küche** | kitchen |
| **der Kuchen** | cake |
| **die Küchenmaschine** | food mixer |
| **der Kuhstall** | cowshed |
| **die Kundin** | customer |

| | |
|---|---|
| **der Künstler** | artist |
| **die Künstlerin** | |
| **kurz** | short |
| | |
| **lächeln** | smile |
| **der Ladeninhaber** | shopkeeper |
| **die Ladeninhaberin** | |
| **das Lamm** | lamb |
| **die Lampe** | lamp |
| **lang** | long |
| **langsam** | slow |
| **der Lastwagen** | lorry |
| **die Laterne** | lantern |
| **der Laternenpfahl** | lamp post |
| **der Läufer** | rug |
| **laufen** | run |
| **lebendig** | alive |
| **leer** | empty |
| **der Lehrer** | teacher |
| **die Leiter** | lead |
| **das Lenkrad** | steering wheel |
| **der Leopard** | leopard |
| **lesen** | read |
| **der Leuchtturm** | lighthouse |
| **der Liegestuhl** | deck-chair |
| **links** | left |
| **der Löffel** | spoon |
| **die Lokomotive** | locomotive |
| **der Löwe** | lion |
| **die Löwin** | lioness |
| **der Luftballon** | balloon |
| **ein Luftkissenfahrzeug** | hovercraft |
| **der Lutscher** | lollipop |
| | |
| **das Mädchen** | girl |
| **der Magen** | stomach |
| **Mai** | May |
| **der Mann** | man |
| **der Mantel** | overcoat |
| **die Marionette** | puppet |
| **März** | March |
| **die Maske** | mask |
| **das Meer** | sea |
| **das Mikrophon** | microphone |
| **mit** | with |
| **Mittwoch** | Wednesday |
| **das Mobile** | mobile |
| **der Monat** | month |
| **der Mond** | moon |
| **Montag** | Monday |
| **der Morgenrock** | dressing gown |
| **morgen** | tomorrow |
| **die Motorhaube** | bonnet (car) |
| **das Motorrad** | motor bike |
| **das Motorboot** | motor boat |
| **die Möwe** | seagull |
| **der Mund** | mouth |
| **die Muschel** | shell |
| **die Musik** | music |
| **die Mutter** | mother |
| | |
| **der Nachmittag** | afternoon |
| **das Nachthemd** | nightdress |
| **die Nacht** | night |
| **nahe an** | near |
| **die Nase** | nose |
| **das Nashorn** | rhinoceros |
| **naß** | wet |
| **neben** | beside |
| **neu** | new |
| **niedrig** | low |
| **November** | November |
| **offen** | open |
| **öffnen** | open (to) |
| **ohne** | without |
| **das Ohr** | ear |
| **der Öltanker** | oil tanker |
| **Oktober** | October |
| **die Osterglocke** | daffodil |
| | |
| **ein Paddel** | paddle |
| **die Palette** | palette |
| **die Palme** | palm tree |
| **der Pantoffel** | slipper |
| **der Papagei** | parrot |
| **der Papierkorb** | wastepaper basket |
| **der Patient/die Patientin** | patient |
| **der Pelikan** | pelican |
| **der Pfad** | path |
| **die Pfeife** | whistle |
| **das Pferd** | horse |
| **die Pflanze** | plant |
| **der Pflug** | plough |
| **die Pfütze** | puddle |
| **der Pilot** | pilot |
| **der Pinguin** | penguin |
| **der Pinsel** | paintbrush |
| **das Plätzchen** | biscuit |
| **das Pony** | pony |
| **privat** | private |
| **der Pullover** | pullover |
| **das Puppenhaus** | doll's house |
| **das Puzzle** | jigsaw |
| | |
| **ein Rad** | wheel |
| **die Radfahrerin** | cyclist(f) |
| **das Radio** | radio |
| **der Rasen** | lawn |
| **der Rasenmäher** | lawnmower |
| **rechts** | right |
| **reden** | talk |
| **das Regal** | shelf |
| **der Regenmantel** | raincoat |
| **der Regenschirm** | umbrella |
| **der Regen** | rain |
| **der Regenbogen** | rainbow |
| **ein Reifen** | tyre |
| **der Rettungsgürtel** | life-belt |
| **der Rettungsschwimmer** | lifeguard |
| **der Ritter** | knight |
| **der Rock** | skirt |
| **die Rollschuhe** | roller skates |
| **der Rücken** | back |
| **das Ruderboot** | rowing boat |
| **die Rutschbahn** | slide |
| | |
| **Samstag** | Saturday |
| **der Sand** | sand |
| **die Sandburg** | sand-castle |
| **der Sandkasten** | sand pit |
| **das Sandwich** | sandwich |
| **die Sängerin/ der Sänger** | singer |
| **der Sattel** | saddle |
| **sauber** | clean |
| **sauer** | sour |
| **das Schaf** | sheep |
| **die Schallplatte** | record |
| **der Schal** | scarf |
| **die Schaufel** | spade |
| **die Schauspielerin** | actress |
| **der Schauspieler** | actor |
| **der Schemel** | stool |
| **die Scheune** | barn |
| **schieben** | push |
| **die Schildkröte** | tortoise |
| **der Schlafanzug** | pyjamas |
| **das Schlafzimmer** | bedroom |
| **schlafen** | sleep |
| **das Schlagzeug** | drum |
| **der Schlauch** | hosepipe |
| **das Schloß** | castle |
| **der Schmetterling** | butterfly |
| **schmutzig** | dirty |
| **der Schneemann** | snowman |
| **schnell** | fast |
| **der Schnee** | snow |
| **der Schornstein** | chimney |
| **schreiben** | write |
| **schreien** | shout |
| **der Schubkarren** | wheelbarrow |
| **der Schuh** | shoe |
| **der Schulranzen** | satchel |
| **die Schulter** | shoulder |
| **die Schülerin** | pupil |
| **die Schüssel** | bowl |
| **der Schwanz** | tail |
| **die Schwester** | sister |
| **schwer** | difficult |
| **das Schwimmbecken** | swimming pool |
| **der Seemann** | sailor |
| **der Seetang** | seaweed |
| **das Segel** | sail |
| **ein Segelflugzeug** | glider |
| **sehr** | very |
| **seicht** | shallow |
| **September** | September |
| **der Sessel** | armchair |
| **sich an lehnen** | lean |
| **die Schlange** | snake |
| **sie** | she, they |
| **sitzen** | sit |
| **die Socken** | socks |
| **das Sofa** | sofa |
| **der Soldat** | soldier |
| **der Sommer** | summer |
| **der Sonnenschirm** | umbrella |
| **die Sonne** | sun |
| **Sonntag** | Sunday |
| **der Spaten** | spade |
| **der Spiegel** | mirror |
| **die Spielzeugkiste** | toy box |
| **spielen** | play |
| **die Spinne** | spider |
| **springen** | jump |
| **das Sprungseil** | skipping rope |
| **das Stachelschwein** | porcupine |
| **das Stadtzentrum** | town centre |
| **die Staffelei** | easel |
| **die Statue** | statue |
| **stehen** | stand |
| **das Stethoskop** | stethoscope |
| **die Strandhütte** | beach hut |
| **die Straße** | road |
| **der Strauß** | ostrich |
| **der Strohhalm** | drinking straw |
| **die Strumpfhose** | tights |
| **der Stuhl** | chair |
| **die Stunde** | hour |
| **suchen** | look for |
| **der Supermarkt** | supermarket |
| **das Surfbrett** | surfboard |
| **süß** | sweet |
| **das Schiff** | ship |
| **das Schwein** | pig |

**eine Tafel Schokolade** bar of chocolate
**der Tag** day
**das Tagebuch** diary
**die Tankstelle** petrol station
**die Tasche** pocket
**das Taschentuch** handkerchief
**die Taschenlampe** torch
**der Teddybär** teddy bear
**die Telefonzelle** telephone box
**der Teller** plate
**tief** deep
**der Tiger** tiger
**der Tisch** table
**die Tochter** daughter
**die Toilette** lavatory
**das Tor** gate, goal
**tot** dead
**tragen** carry
**der Traktor** tractor
**ein Transporter** van
**treffen** hit
**die Treppe** staircase
**treten** kick
**trinken** drink
**trocken** dry
**die Tür** door

**über** over
**die Uhr** clock
**der Umhang** cloak
**und** and
**ungehorsam** naughty
**das Unterhemd** vest
**die Unterhose** underpants
**unter** under, among

**der Vater** father
**der Verkehr** traffic
**die Vogelscheuche** scarecrow
**der Vogel** bird
**voll** full
**vor** in front of
**der Vorhang** curtain
**der Vormittag** morning

**der Wagen** carriage
**der Wald** wood
**die Wand** wall
**die Wandtafel** blackboard
**die Wange** cheek
**wann?** when?
**warm** warm
**warum?** why?
**das Waschbecken** washbasin
**der Wasserball** beach ball
**der Wecker** alarm clock
**der Wegweiser** signpost
**weich** soft
**weinen** cry
**weit** far
**die Welle** wave
**der Wellenreiter** surfer
**werfen** throw
**der Wind** wind
**die Windmühle** windmill
**die Windschutzscheibe** windscreen
**der Winter** winter
**die Wippe** seesaw
**wir** we
**die Woche** week
**der Wohnblock** flats
**ein Wohnwagen** caravan
**das Wohnzimmer** sitting-room
**der Wolf** wolf
**die Wolke** cloud
**der Wolkenkratzer** skyscraper
**das Wort** word
**wo?** where?

**die Zähne** teeth
**das Zebra** zebra
**die Zehe** toe
**zehn** ten
**ein Zelt** tent
**zerreißen** tear
**die Ziege** goat
**der Ziegelstein** brick
**ziehen** pull
**die Zitrone** lemon
**der Zug** train
**die Zügel** reins
**die Zunge** tongue
**zuschauen** watch

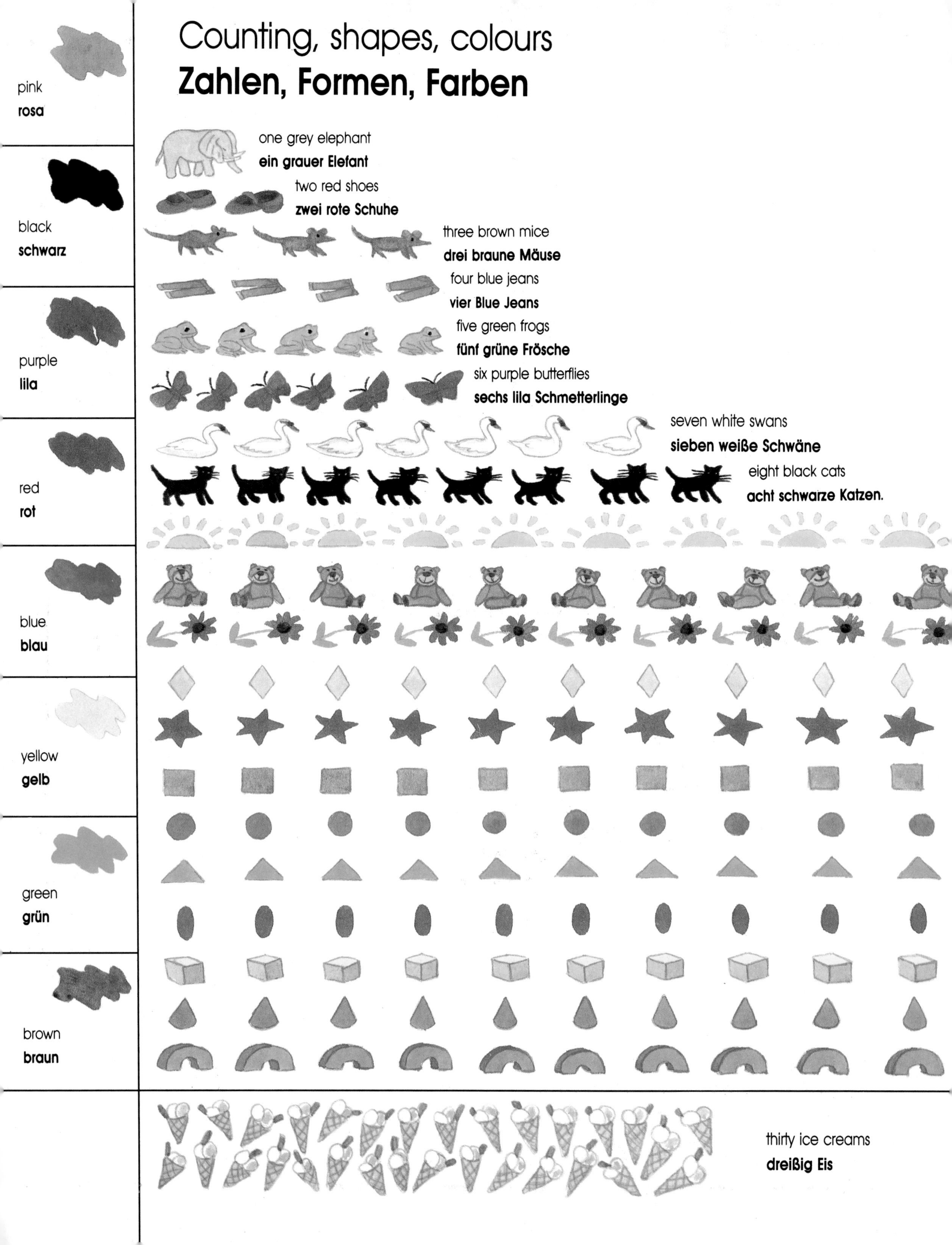

Counting, shapes, colours
Zahlen, Formen, Farben
pink
rosa
black
schwarz
purple
lila
red
rot
blue
blau
yellow
gelb
green
grün
brown
braun
one grey elephant
ein grauer Elefant
two red shoes
zwei rote Schuhe
three brown mice
drei braune Mäuse
four blue jeans
vier Blue Jeans
five green frogs
fünf grüne Frösche
six purple butterflies
sechs lila Schmetterlinge
seven white swans
sieben weiße Schwäne
eight black cats
acht schwarze Katzen.
thirty ice creams
dreißig Eis